CB051653

A Praga

Manuela Castro

A Praga

GERAÇÃO

Grafia atualizada segundo o Acordo Ortográfico da Língua Portuguesa de 1990,
que entrou em vigor no Brasil em 2009

Editor e Publisher
Luiz Fernando Emediato

Diretora Editorial
Fernanda Emediato

Assistente Editorial
Adriana Carvalho

Capa e Diagramação
Alan Maia

Projeto Gráfico
Ilustrarte Design

Preparação de Texto
Ayrton Centeno
Karla Lima

Revisão
Marcia Benjamim
Josias A. de Andrade

Dados internacionais de catalogação na publicação (cip)
(Câmara Brasileira do Livro, SP, Brasil)

Castro, Manuela
    A praga / Manuela Castro. — São Paulo: Geração Editorial,
2017.

ISBN 978-85-8130-379-6

    1. Entrevistas (Jornalismo) 2. Hansenianos -
Brasil - Condições sociais 3. Hansenianos - Brasil -
História 4. Hanseníase - Hospitais Colônia - História
5. Repórteres e reportagens I. Título.

17-02669   CDD-070.449

Hansenianos : Livro-reportagem : Jornalismo   070.449

Geração Editorial

Rua João Pereira, 81 — Lapa
CEP: 05074-070 — São Paulo — SP
Telefax: (+ 55 11) 3256-4444
E-mail: geracaoeditorial@geracaoeditorial.com.br
www.geracaoeditorial.com.br

Impresso no Brasil
Printed in Brazil

*"Lepra é uma palavra, não é uma moléstia.
Nunca acreditarão que lepra se cura.
Palavra não se cura."*

GRAHAM GREENE

Sumário

Não há uma estimativa da quantidade de pessoas que morreram confinadas nas colônias de leprosos no Brasil sem tratamento adequado. Muitas foram enterradas em cemitérios como este na Colônia Santa Isabel em Betim, Minas Gerais, sem conhecimento da família. Os sobreviventes lutam pela reparação.

I

Um achado: 10 mil vítimas ainda vivem

C hego cedo à redação da TV Brasil. Pego a minha pauta. Naquele dia, eu seria responsável por acompanhar o que acontecia no Palácio do Planalto. As agendas da presidente da República e dos ministros estão cheias.

Entre os encontros, um item chamou minha atenção: reunião com representantes do Movimento de Reintegração das Pessoas Atingidas pela Hanseníase (Morhan). Com tantos compromissos importantes com empresários, reitores, ministros e secretários, aquela pauta pouco atraía a atenção dos jornalistas. Eu, pelo contrário, fiquei interessada. Que movimento era aquele? Que havia de significativo para ser discutido diretamente com a presidência em relação à hanseníase? Não fazia ideia da novidade que poderia sair dali. Resolvi apostar no assunto. Um tiro no escuro. A curiosidade falou mais alto.

Descobri o então coordenador nacional do Morhan, Artur Custódio. Ele me contou que estava no Planalto para defender uma proposta: estender a indenização recebida pelos ex-internos dos leprosários aos filhos separados dos pais por causa do isolamento forçado. Enquanto Custódio falava sobre a lei da pensão, fiquei me perguntando quantos velhinhos confinados nas antigas colônias de hansenianos estariam ainda vivos para receber o dinheiro. Deveriam ser poucos. Nunca ouvira falar em colônia de leprosos em atividade no Brasil. Por certo haviam sido fechadas há muitas e muitas décadas. Ao fim da explicação, lanço a pergunta sobre a quantidade de beneficiários e fico chocada com a resposta.

— Acredito que cerca de 10 mil pessoas devem receber o benefício. Os pedidos de pensão ainda estão em andamento.

— Tudo isso? Até quando essas pessoas ficaram confinadas em leprosários?

— As últimas só saíram em 1986, sendo que a hanseníase já tinha cura desde os anos 1940.

Era difícil acreditar no que ouvia. Em poucas palavras, Artur descreveu uma síntese do drama que está neste livro. Entrevistei-o para a TV, apanhei seus contatos e disse que tudo o que ele havia me contado ainda renderia muitas reportagens.

No carro, entre o Planalto e a redação da TV, cheguei à conclusão que estava diante do meu maior achado jornalístico em matéria de direitos humanos. Algo que não renderia apenas reportagens rápidas para o jornal. Precisava explorar o assunto, viajar, visitar as colônias, conversar com os protagonistas dessa história. Daria uma grande reportagem. Tinha de apresentar esse projeto o mais rápido possível à chefia do *Caminhos da Reportagem*, programa jornalístico da TV Brasil com duração de uma hora. Por que não agora?

Quando cheguei à redação, era o horário de almoço do pessoal do Núcleo de Programas Especiais. Estava tão ansiosa que fui procurá-los mesmo assim. O Núcleo ficava no quarto andar. Não consegui nem esperar o elevador chegar. Subi correndo as escadas.

Cemitério Reino das Rosas da Colônia Santa Isabel, onde foram enterradas milhares de vítimas dos antigos leprosários.

Ao entrar na sala, apenas uma das editoras estava lá, a Marieta Cazarré. Atrapalhei a saída dela para almoçar. Disparei milhares de informações numa empolgação tremenda. Expliquei como era importante resgatar essa história tão pouco explorada. Ela ficou animada com a proposta e com a minha disposição de enfrentar o tema. Só a deixei sair quando disse:

— Sensacional a sua ideia. Vamos tocar isso sim. Vou conversar com a chefe.

© Alexandre Souza

Manuela Castro em frente ao Portal da Colônia Santa Isabel, nas gravações do *Caminhos da Reportagem*, em 2013.

Deu certo. O programa fez o maior sucesso. Ganhou prêmio de jornalismo, além de menção honrosa. Fui a Rio Branco receber o Prêmio Jornalista Tropical da Sociedade Brasileira de Medicina Tropical. Também recebi o reconhecimento do Prêmio de Jornalismo e Saúde do Sindicato dos Hospitais, Clínicas e Casas de Saúde do Município do Rio de Janeiro.

Mas poderia avançar um pouco mais. Poderia contar esta história em livro, detalhando-a, aprofundando-a. Por que não? O resultado é este livro que você está começando a ler agora.

Dona Conceição passou a vida a buscar mudas para seu jardim e os filhos que foram arrancados de seus braços. Um deles ela nunca encontrou.

II

"Você não pode nem encostar no seu bebê"

Em meio a casas simples, uma se destaca pelo jardim repleto de árvores e flores. Ao redor do casebre não existe pedaço de terra onde não brote, ao menos, uma rosa. Compondo a paisagem, pedras adornam as sombras dos arbustos. É o cenário da vida de Conceição. Todos os dias, ela se dedica ao pequeno bosque. Conceição reuniu pouco a pouco as mudas de flores que achou ao longo da vida. O mesmo fez com os filhos.

Receber o diagnóstico de lepra era carimbar o passaporte para o inferno. Com a confirmação de que estava doente, Conceição foi isolada. Afastou-se dos filhos pequenos e seguiu para o leprosário, a colônia de leprosos, a prisão perpétua dos atingidos pelas chagas malditas. No isolamento compulsório, descobriu que as crianças não poderiam visitá-la. Disseram-lhe para apagar o passado. Era preciso começar do zero. Logo recebeu uma missão: ser empregada doméstica. Daí para frente, sua vida se resumiria a esfregões, regras rígidas da colônia e à deformação lenta e gradual dos nervos atacados pela doença.

Era o ano de 1959. Todo o susto com o ingresso no leprosário representava uma gota no oceano de amargura que ainda estava por vir. Conceição estava grávida. Ela trabalhou duro até o dia em que sentiu as contrações do parto. Na cama onde daria à luz, a parteira veio com a notícia que transpassou seu coração.

— Olha, você vai ter seu menino, mas não vai poder ficar com ele. Não te avisaram isso?

— Não, ninguém me falou — sussurrou quase sem voz, em meio às contrações cada vez mais fortes.

— Pois é, não tem jeito. Nem encostar nele você pode.

— Por quê?

— Porque você é leprosa.

O diálogo, gravado na mente por toda a vida, doeu mais que o parto, que se tornou complicado tamanho o nervosismo de Conceição. Assim que ouviu o chorinho do bebê, mais uma vez a parteira disparou:

— É uma pena, Conceição, seu menino é tão bonito.

— Deixa eu ver meu filho, pelo menos nos braços da senhora, já que eu não posso encostar. Chegue aqui pertinho.

— Pode ver de longe, só de longe.

A parteira virou a cabecinha do neném e saiu do quarto. Conceição queria gritar, mas a voz sumiu da garganta. Só restaram as lágrimas, que teimam em cair até hoje, quando vem a lembrança do dia mais triste de sua vida. Ninguém nunca lhe disse para onde o recém-nascido fora levado.

Mas não dava para passar a vida inteira sem notícia dos seis filhos. O coração de mãe se encheu de coragem e foi mais forte que os muros do leprosário. Conceição armou um plano para escapar da colônia. Fingiu que iria se recolher para dormir e esgueirou-se do pavilhão até chegar à parte cercada apenas por arame farpado, que naquele dia não estava sendo vigiada. E partiu à procura das crianças.

Aos poucos foi reunindo a família, como as flores do seu jardim. A busca foi árdua. Por fim encontrou cinco filhos, mas, até hoje, amarga

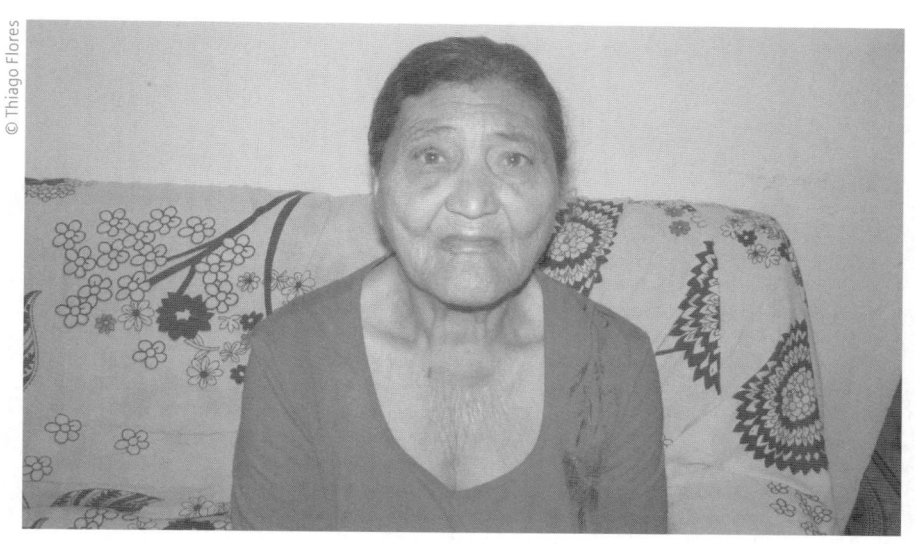

© Thiago Flores

Dona Conceição em casa, na antiga Colônia Santa Isabel, em 2015.

a falta do bebê que lhe foi arrancado do ventre, sem direito ao cheiro da mãe. Nunca conseguiu uma pista do seu paradeiro.

Surpreendi-me ao perceber que Conceição faz tudo sozinha mesmo com os dedos atrofiados, uma das sequelas da doença. Ao final, ela não se conteve:

— Manuela, será que com essa entrevista eu vou conseguir encontrar meu filho?

— Não sei. Tomara que sim.

Só se acontecer um milagre, pensei. Mais de cinquenta anos depois, como descobrir alguém sem pistas, sem saber ao menos o nome da pessoa? Conceição me olhou fixamente, por alguns segundos e, como se tivesse adivinhado meus pensamentos, retrucou:

— Eu acredito em milagres.

Dois anos depois, dona Conceição faleceu, sem alcançar seu principal objetivo de vida.

A purificação do leproso, afresco de Boticelli na Capela Sistina.

III

A maldição dos pobres
que não poupa os reis

A hanseníase, primitivamente conhecida como lepra, é uma doença milenar, tão antiga quanto o medo e o preconceito que sempre existiram ao seu redor. Relatos bíblicos tratam a lepra como maldição, praga, um castigo para os insubmissos. Considerados imundos, os leprosos viviam apartados da sociedade, muitas vezes em vales ou cavernas. Quem neles tocasse tinha de se purificar.

No Velho Testamento há um trecho que se refere à Lei dos Leprosos, no capítulo 13 do livro Levítico. O doente com manchas suspeitas deveria ser analisado por alguns dias pelo sacerdote. Se constatada a lepra, a regra era implacável. "O sacerdote terá que declará-lo impuro. Quem ficar leproso, usará roupas rasgadas, andará descabelado, cobrirá a parte inferior do rosto e gritará: 'Impuro! Impuro!'. Enquanto tiver a doença, estará impuro. Viverá separado, fora do acampamento."

Vestes e até casas poderiam ser "diagnosticadas" com lepra. Caso manchas nas paredes permanecessem depois de serem observadas pelos sacerdotes, as moradias deveriam ser postas abaixo. Seus destroços, jogados na parte impura da cidade. Quem tivesse frequentado tais lugares deveria ser isolado e analisado.

No Novo Testamento, Jesus Cristo tomou uma atitude ousada para a época. Escutou os clamores dos doentes e operou milagres ao curá-los. É o que diz o capítulo 17 do Evangelho de São Lucas. "Entrando numa certa aldeia, saíram-lhe ao encontro dez homens leprosos, os quais pararam de longe. E levantaram a voz, dizendo: 'Jesus, Mestre, tem misericórdia de nós'. E ele, vendo-os, disse-lhes: 'Ide e mostrai-vos aos sacerdotes'. E aconteceu que indo eles ficaram limpos. E um deles, vendo que estava são, voltou glorificando a Deus em alta voz".

Antes de Cristo, as campanhas pela conquista da Ásia levadas por Alexandre, o Grande, abriram à lepra o caminho da Europa. Depois, as incursões bélicas de Roma, no primeiro século d.C. e, ainda, as numerosas cruzadas cumpriram o mesmo papel. A marcha dos exércitos, unida à ampliação do comércio e às peregrinações religiosas, contribuíram para a disseminação do mal de Lázaro no Ocidente. Na Ásia e no Oriente Médio, era um conhecido desde sempre. No antigo Egito, hieroglifos de 1.350 anos antes da Era Cristã já se reportavam à enfermidade. Confrontados com a praga, os estados europeus reagiram da maneira mais rigorosa.

Forçados a viver em reclusão, os leprosos tinham seus laços com o restante da sociedade sumariamente cortados. Eram, inclusive, declarados legalmente mortos e seus bens confiscados. Rezava-se uma "missa da separação" afastando o doente para sempre. Eram proibidos de entrar em igrejas, mosteiros, tabernas, mercados e de se aproximarem de qualquer grupo de pessoas não contaminadas. Não poderiam lavar as mãos ou banhar-se em qualquer riacho ou fonte. Não poderiam perambular por passagens estreitas onde haveria o risco de esbarrar em alguém. Deveriam usar um sino ou guizo que, com seu tilintar, alertasse os demais de sua aproximação.

As vítimas, quase sempre, provinham da pobreza, o que agravava sua condição. Sabe-se, porém, de reis fulminados pela doença. Um deles, Balduíno IV, reinou em Jerusalém de 1174 a 1185. Ainda criança, divertia-se com amigos trocando beliscões, quando percebeu que nada sentia ao ser castigado no seu braço direito. Seu preceptor, Guilherme de Tiro, preocupou-se. A inquietação, saberia logo, tinha razão de ser: seu pupilo contraíra lepra. Mesmo assim, Balduíno IV, coroado com treze anos, alcançou a idade adulta, governou e até participou de batalhas.

Roberto I, da Escócia, padeceu do mesmo mal. Nascido em 1274, Robert Bruce foi coroado em 1306. Passou seus últimos dias recluso no castelo de Cardross. Morreu em 1329.

Rei da Sicília, Henrique VII, nascido em 1211, era o filho mais velho do imperador alemão Frederico II. Morreria aos trinta e um anos, após uma queda de um penhasco, provavelmente um suicídio. Em 1998, uma equipe de paleopatologistas italianos abriu seu túmulo. Examinando o restante da ossada constatou sinais de hanseníase avançada do tipo virchowiana, a mais grave de todas.

Afonso II reinou em Portugal de 1212 a 1223. Quando soube que a Igreja Católica havia tomado suas terras, que pertenciam à Coroa, entrou em conflito com o papado. Foi excomungado pelo arcebispo de Braga e, logo, pelo papa Honório III. Dispunha-se a fazer as pazes com a Igreja quando morreu de lepra aos trinta e seis anos.

No retorno das Cruzadas, cavaleiros voltavam infectados e serviam como vetores do mal de Lázaro na Europa. Surgiram, então, os primeiros leprosários, a partir de doações das casas reais. A Ordem de São Lázaro — que tinha o objetivo de tratar os doentes e criar leprosários — estabeleceu-se na França sob o patrocínio da realeza.

Apesar do medo, a lepra sempre despertou curiosidade. As vidas de Balduíno IV e de Robert Bruce são duas evidências dessa atração. Ambas provocaram o interesse do cinema.

Cena do filme *Ben-Hur*, no vale dos leprosos.

O épico *Cruzada* (2005), dirigido por Ridley Scott, abordou a figura de Balduíno IV, interpretada por Edward Norton, com algumas liberdades. A exemplo do monarca de Jerusalém, o cinema também retratou Robert Bruce, encarnado pelo ator Angus Macfadyen. Ele aparece em *Coração Valente* (1995), contracenando com Mel Gibson.

Antes, em 1959, *Ben-Hur*, de William Wyler, outra superprodução, exibiu o horror da lepra nos tempos bíblicos e a segregação dos doentes. Aprisionadas, a mãe e a irmã do herói contraem lepra no calabouço. Sem saber da tragédia, Ben-Hur é informado, a princípio, de que

haviam morrido. Mais tarde, ambas serão expulsas da cidade para viverem com os demais leprosos.

Em *Diários de Motocicleta* (2004), de Walter Salles Jr., o jovem médico Ernesto — que muitos anos depois se converteria no icônico guerrilheiro e revolucionário Che Guevara — dedica-se a um leprosário na Amazônia peruana. No dia de seu aniversário, Ernesto atravessa um rio a nado para comemorar a data com os amigos da colônia. Em *Papillon* (1973), de Franklin J. Schaffner, o personagem principal, em fuga da prisão na ilha do Diabo, no Caribe, é acolhido com seu companheiro de escapada em uma colônia de leprosos.

O mal de Hansen também seduziu os escritores. Um deles, o inglês Graham Greene (1904-1991), autor de *best-sellers* como *O americano tranquilo, Nosso homem em Havana, O cônsul honorário* entre dezenas de outros títulos. O autor percorreu colônias no Congo e em Camarões para escrever sua novela *Um caso liquidado*, de 1960. Neste livro, Greene situou seu protagonista, um famoso arquiteto desiludido da vida na grande cidade, em um leprosário do Congo.

A exemplo de Greene, Mário Vargas Llosa, Nobel de Literatura em 2010, visitou o pavilhão de leprosos do hospital Saint Paul, em Paris. "Nunca tinha visto um deles", confessou Llosa na sua conferência *História secreta de uma novela*, de 1968.

Sua imagem mais intensa procedia de outro escritor, o francês Gustave Flaubert que, em seus diários de viagem, narra a visão aterradora de um enfermo e suas chagas no Egito. Llosa percorreu o hospital, conheceu alguns doentes e aprendeu sobre a moléstia. Usou as informações em *A Casa Verde*, um de seus primeiros livros.

Na Espanha da Idade Média, a lenda do cavaleiro Don Rodrigo Díaz de Vivar, de alcunha El Cid, o Campeador, transmitida oralmente de geração a geração, cita seu encontro com um paciente de lepra, a quem teria abraçado, alimentado e cedido o leito.

No século XIX, o francês Villiers de L'Isle-Adam relatou a infelicidade de um nobre inglês que, em viagem ao Oriente, apertou a mão de um enfermo e contraiu a doença. No século seguinte, o espanhol Ramón de Valle-Inclán descreveu no seu *Romance de lobos* a figura assustadora de um leproso com os olhos feridos e pés aleijados.

O escocês Robert Louis Stevenson também se interessou. Em *A flecha negra*, de 1888, porém ambientada no século XV durante a Guerra das Rosas, detalhou o terror de dois cavaleiros ante a iminência de um encontro na floresta com um encapuzado. Soava o sino a cada passada. Os dois gelaram de medo:

— Um leproso! — exclamou Dick, rouco.

— Seu toque é a morte — disse Matcham. — Vamos fugir.

Estavam prontos a flechar o desconhecido quando descobriram que era um embuste. O homem do capuz era um de seus companheiros que se disfarçara de leproso para iludir o inimigo.

— Não há disfarce melhor que esse. Esse sino teria assustado o bandido mais valente da floresta — respondeu a quase vítima.

Na pintura, Rafael desenhou São Pedro e São João curando um doente que traz no rosto e nos pés as sequelas da lepra. Ao lado do mestre do Renascimento italiano, o pintor e gravador holandês Hieronymus Bosch produziu uma gravura na qual se vê um paciente com lesões na pele e unhas curvas. Outro holandês célebre, Pieter Brueghel, o Velho, pintou um demônio junto a um paciente. Na mesma época, Holbein, o Velho, artista alemão, retratou a doença em muitas de suas obras.

Na Capela Sistina, no Vaticano, está o afresco de Boticelli intitulado "A purificação do leproso". Foi uma homenagem ao papa Sisto IV. Outros dois grandes nomes, Rembrandt e Rubens, do mesmo modo transportaram a enfermidade aos seus quadros.

Portal da década de 1930, na Colônia Santa Isabel. No pórtico, a frase em latim *Hic manebimus optime*, que significa "Aqui ficaremos muito bem".

IV

No pórtico, a ironia: "Aqui ficaremos muito bem"

No Brasil dos anos 1980, pacientes de hanseníase ainda eram obrigados a viver em colônias, embora a cura tivesse sido encontrada ainda na década de 1940. Muitos ex-internos vivem, até hoje, em torno das ruínas dos leprosários. Quando conquistaram a liberdade, depois de anos ou décadas de isolamento e sem contato com a família, não tinham mais para onde ir. O jeito foi chamar a antiga prisão de lar.

Algumas colônias eram verdadeiras cidades, com mais de 5 mil habitantes, como a de Betim, na região metropolitana de Belo Horizonte, onde mora Conceição. Após a fuga, ela encontrou um refúgio numa casa próxima ao pavilhão onde ficava isolada. Para nunca mais ter de se esconder.

A Santa Isabel era a maior colônia do Brasil. Inaugurada em 1931, atendia à política sanitária do célebre médico Oswaldo Cruz. Na época, representou um grande exemplo da ação do Estado para erradicação das doenças contagiosas. Foi erguida entre o rio Paraopeba e a Mata

Atlântica, modo de dificultar a fuga dos hansenianos que se recusavam a viver no isolamento. Até 1985 estava restrita aos doentes, agentes de saúde e religiosos.

Construção da Colônia Santa Isabel na década de 1930.

Primeiros pavilhões da Colônia Santa Isabel.

Avenida Doutor Emílio Ribas na Colônia Santa Isabel.

Hoje, o local se converteu em bairro afastado do centro de Betim, onde vivem cerca de 700 ex-internos. É comum ver pessoas nas ruas com as sequelas que surgem quando a doença não é tratada, como deformação ou perda dos dedos. Alguns andam em cadeiras de rodas, porque os pés ficaram bastante comprometidos. A hanseníase também ataca a cartilagem, por isso muitos têm o nariz pequeno. São as marcas de um cotidiano em que os doentes conviviam com a angústia de verem seus corpos, dia a dia, sendo mutilados pela doença.

A antiga colônia é um museu a céu aberto. Várias construções da época do isolamento permanecem expostas no meio do arrabalde, já danificadas pela ação do tempo. Grandes prédios, parecidos com galpões, perderam o telhado e as janelas. Estão cercados pelo mato. O maior deles era a morada das mulheres, o pavilhão feminino. Jovens solteiras, ou separadas dos maridos e dos filhos pela doença, tinham de dividir espaço com outras tantas condenadas ao isolamento perpétuo. O cômodo grande, com dezenas de camas enfileiradas, mais se assemelhava a uma grande enfermaria. Enfermeiras circulavam a qualquer hora do dia ou da noite pelo dormitório. Não havia a noção de privacidade. Tudo era aberto e acessível a todos. O mesmo acontecia com os homens, que ficavam em um prédio próximo, hoje em ruínas. O direito de morar em casas cabia apenas aos que formavam família dentro da colônia.

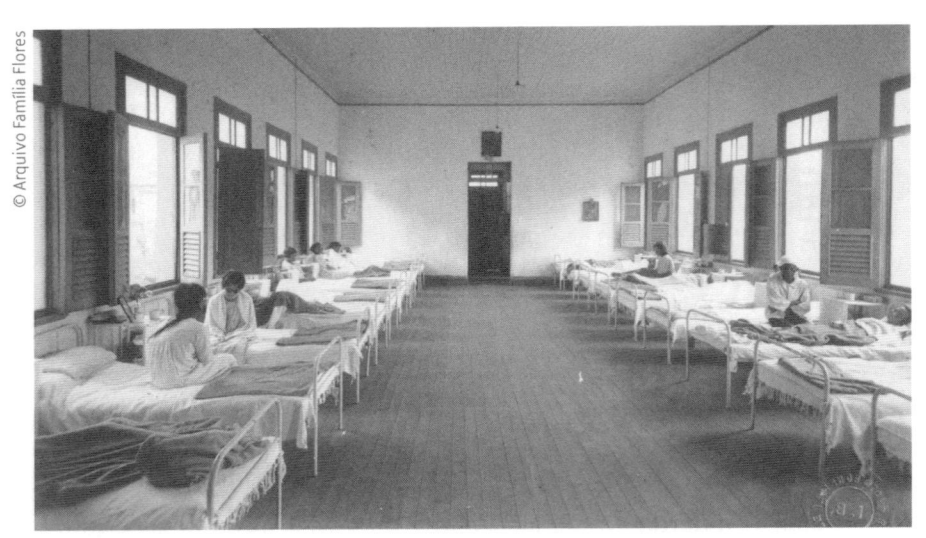

© Arquivo Família Flores

No pavilhão feminino da Colônia Santa Isabel, as mulheres não tinham privacidade. As camas enfileiradas mais pareciam uma grande enfermaria.

© Arquivo Família Flores

Ruínas dos antigos prédios da Colônia Santa Isabel.

A segregação anunciava-se na entrada do leprosário, ainda intacta, onde ironicamente há a frase, em latim, *Hic manebimus optime.* Quer dizer, "aqui ficaremos muito bem". Pórtico clássico, alto, tem um portão de ferro e duas guaritas. Apenas os muros em torno foram destruídos. Em uma das guaritas ficava um funcionário com hanseníase. Era ele quem acolhia os pacientes que chegavam na colônia para morar. Do outro lado, na segunda guarita, trabalhava um servidor sem a doença. A ele cabia receber os familiares dos internos. Em 1997, o portal foi tombado como Patrimônio Histórico e Cultural de Betim, por ser considerado um símbolo da política de isolamento compulsório.

No leprosário todos eram obrigados a trabalhar. Quem descumprisse a regra era preso. Sim, havia prisão dentro do confinamento. Bastava infringir qualquer norma, por menor que fosse, para dormir no xadrez. Havia o delegado da colônia. Figura ríspida, séria e respeitada. Além de cuidar das infrações constantes na legislação brasileira, ainda determinava outras tantas transgressões à normalidade. Estabelecia o certo e o errado. Nas suas mãos, a gama de crimes era muito mais extensa do que no mundo do lado de fora. O presídio interno poderia ser um prédio levantado com esta finalidade. Em outros casos, os apenados da colônia permaneciam detidos nos próprios pavilhões onde dormiam, uma espécie de prisão domiciliar. Ficavam trancafiados no dormitório sem direito nem sequer ao banho de sol.

Os funcionários da colônia eram os próprios doentes, com exceção de poucos médicos. Os enfermeiros eram hansenianos que aprendiam a profissão na prática. Aliás, os pacientes, com frequência, aprendiam um ofício diferente daquele que exerciam no mundo exterior. Dentro da Santa Isabel, colônia grande, era necessário dispor de uma variada gama de profissionais. Os mais comuns eram pedreiros, carpinteiros,

Grupo de *Jazz* da Colônia Santa Isabel, na década de 1960.

serralheiros, coveiros e policiais. Não havia cursos profissionalizantes. Cada qual se virava como podia.

Ali, o trabalho nem sempre era legalizado. Muitas vezes não havia carteira de trabalho, respeito às leis trabalhistas ou salário certo. O ordenado atrasava. Em alguns leprosários, nem mesmo havia circulação de dinheiro. Tudo ocorria na base do escambo, o intercâmbio de mercadorias ou serviços. Ou os internos criavam sua própria moeda.

Além de trabalhar, os doentes precisavam também de diversão, que era praticada, por exemplo, por meio de jogos de futebol

Time de futebol da Colônia Santa Isabel, os menos prejudicados pela doença conseguiam participar.

ou grupos musicais. As colônias maiores dispunham de teatro. E havia projeção de filmes.

Quem visita o Memorial da Colônia Santa Isabel, em Betim, vai encontrar imagens em preto e branco que retratam o lazer no tempo do isolamento. Nas paredes do museu chamam a atenção as fotos de mulheres atraentes, bem-vestidas, com penteados suntuosos, pinta de modelo e faixas de rainha. São as vencedoras dos antigos concursos de beleza do leprosário. Diversão para as mulheres e colírio para os olhos masculinos. Participavam da disputa as jovens que não tinham sido acometidas pelas chagas da hanseníase.

© Alexandre Souza

Registros dos momentos de diversão dos internos no Memorial da Colônia Santa Isabel.

© Arquivo Família Flores

Concurso de beleza: participavam apenas mulheres que não possuíam marcas aparentes das chagas.

Pendurados no teto, os instrumentos da banda marcial, como a trompa e o sousafone, um instrumento de sopro tradicional na época. A banda participava dos desfiles de 7 de Setembro. Nas mesas, as velhas vitrolas, aparelhos de rádio em forma de caixa, máquinas de datilografia e velhos telefones com discadores. Na parede, o relógio cuco. De um lado da sala, um imponente projetor de cinema, há muito tempo desativado. No lado oposto, objetos que não remetem a entretenimento: próteses para pés e cadeiras de rodas.

Pavilhão infantil na década de 1970, mesmo pavilhão onde os sete irmãos ficaram na década de 1950.

V

Sete irmãos condenados ao isolamento

N elson tinha doze anos quando chegou ao leprosário de Betim. Era agosto de 1955. Com ele, no mesmo dia, veio o irmão mais novo, Manuel, de dez. Eram os irmãos Flores.

Porém, a desventura da família não se limitaria aos dois meninos. Naquele mesmo ano, mais três de seus irmãos, Enedino, Sebastiana e Ana, foram isolados na Santa Isabel. Como se fosse pouco, em 1959 baixou seu mano Adaílton e, em 1963, foi a vez do sétimo irmão, Demerval.

As duas irmãs morreram ainda na colônia. Da prole dos Flores no leprosário, restam somente Nelson e Enedino.

Ao chegarem, Nelson e Manuel foram entregues aos cuidados de uma freira, que logo os ensinou a rezar o terço diariamente. Moravam juntos na ala infantil. A rotina da dupla era brincar com outras crianças na parte da manhã, ir à escola à tarde e fazer as orações à noite. A saudade da família os fustigava na hora de dormir.

Zenaide também foi internada aos doze anos, em 1957. A rotina do pavilhão feminino era parecida com a do masculino. Em 1962, ela e Nelson começaram um namoro a distância. Não podiam conversar. Só trocar bilhetinhos carinhosos. Ainda naquele ano, Zenaide deixou a ala infantil do pavilhão e, enfim, o romance progrediu.

Jovens na Colônia Santa Isabel — Dona Zenaide Flores é a quarta, da esquerda para a direita, na primeira fileira de cadeiras, com um laço branco no cabelo.

Depois de cinco anos, Zenaide e Nelson finalmente conseguiram se casar.

Zenaide e Nelson passaram a juventude nos pavilhões coletivos do leprosário de Betim.

Na colônia havia regras rígidas para os relacionamentos. Os apaixonados podiam sair para conversar na praça às 19 horas. Era só conversa mesmo. Sentavam-se no mesmo banco, mas afastados. Nada de pegar na mão. Beijo, nem pensar! Às 20h30 em ponto, o som estridente de um apito cortava o clima de romance. Era o guarda responsável pelo toque de recolher dos pavilhões.

Às vezes, os casais podiam ir ao cinema ou ao teatro, mas sempre sob vigilância. Certa vez, no meio da sessão de cinema, Zenaide pegou na mão de Nelson. Ela jura que não passou disso. Mas o diretor da colônia a acusou de ter provocado um beijo no cinema. Como castigo, ficou detida por trinta dias. Beijo era falta grave.

Depois de cinco anos de namoro, veio o casamento, com direito a festa. Surgiu, então, uma nova família Flores. Zenaide tornou-se enfermeira na colônia. Nelson era pintor de paredes até o dia em que a hanseníase se agravou. Os dedos se atrofiaram e surgiram as feridas. As ferramentas lhe caíam da mão o tempo inteiro. Também perdeu a sensibilidade. Tinha de permanecer muito atento para não se machucar ou se queimar. O jeito foi largar a pintura. Foi cuidar da criação de porcos.

Corriam os anos 1960 e naquela época só conseguia a cura aqueles que tinham dinheiro para comprar medicamentos caros. O casal, então, decidiu que iria se sacrificar ao máximo para juntar o montante necessário para o tratamento. Foram três anos de economia para comprar dez ampolas de sulfona importadas da Itália, apenas para o seu Nelson, o mais atingido pela doença. Antibiótico capaz de travar o crescimento das bactérias, a sulfona era, então, a droga mais eficiente contra a lepra. Os dedos de Nelson já estavam curvados, em forma de garra, consequência da progressão da moléstia. Em seguida, começariam tudo de novo para comprar a medicação de Zenaide.

© Arquivo pessoal

Aniversário de Thiago Flores. Depois de muita luta conseguiram, enfim, completar a família, direito que não tinham na época do isolamento.

© Arquivo pessoal

Hoje, a família conta sua história sempre que é preciso.

Na sétima ampola, os ferimentos de Nelson sumiram. Mas ainda era preciso enfrentar outra barreira: a sulfona provocava fortíssimos efeitos colaterais. Sem um tratamento adequado para atenuá-los, os rins e o fígado poderiam ficar comprometidos. Haja dinheiro!

Porém, certo dia, um amigo falou para Nelson:

— Sabe aquela dificuldade toda que você teve para comprar os remédios? Pois é, senta para não cair, porque tenho algo muito grave para contar.

A história correu a Santa Isabel inteira deixando o povo indignado. Naquele mesmo dia, alguns internos foram vasculhar um depósito da diretoria da colônia e encontraram 800 ampolas do medicamento que Nelson demorara três anos para comprar. Ele correu ao depósito e conseguiu o remédio para Zenaide.

Meses depois, um documento chegou como um grito de liberdade. No papel, em letras graúdas e destacadas, estava a palavra "negativo". Não havia mais bacilos vivos, as feridas não mais retornariam, as deformações nos dedos e no nariz se estabilizariam e as correntes do isolamento se romperiam para o casal. Mas o que fazer fora da Santa Isabel? Onde morar? O melhor era ficar no lugar onde construíram a própria história.

A liberdade tornou-se completa com o fim do isolamento compulsório, em 1985. Nelson e Zenaide adotaram uma criança. No álbum de família, eles exibem, orgulhosos, a felicidade capturada em forma de fotografia, com os registros do aniversário de três anos de Thiago.

A adoção encerrou um ciclo de restrições e abriu as cortinas de um novo universo de novidades além dos muros da Santa Isabel.

— Até o direito de sermos pais a hanseníase nos tirava.

Construção do cine Glória na Colônia
Santa Isabel, em 1934.

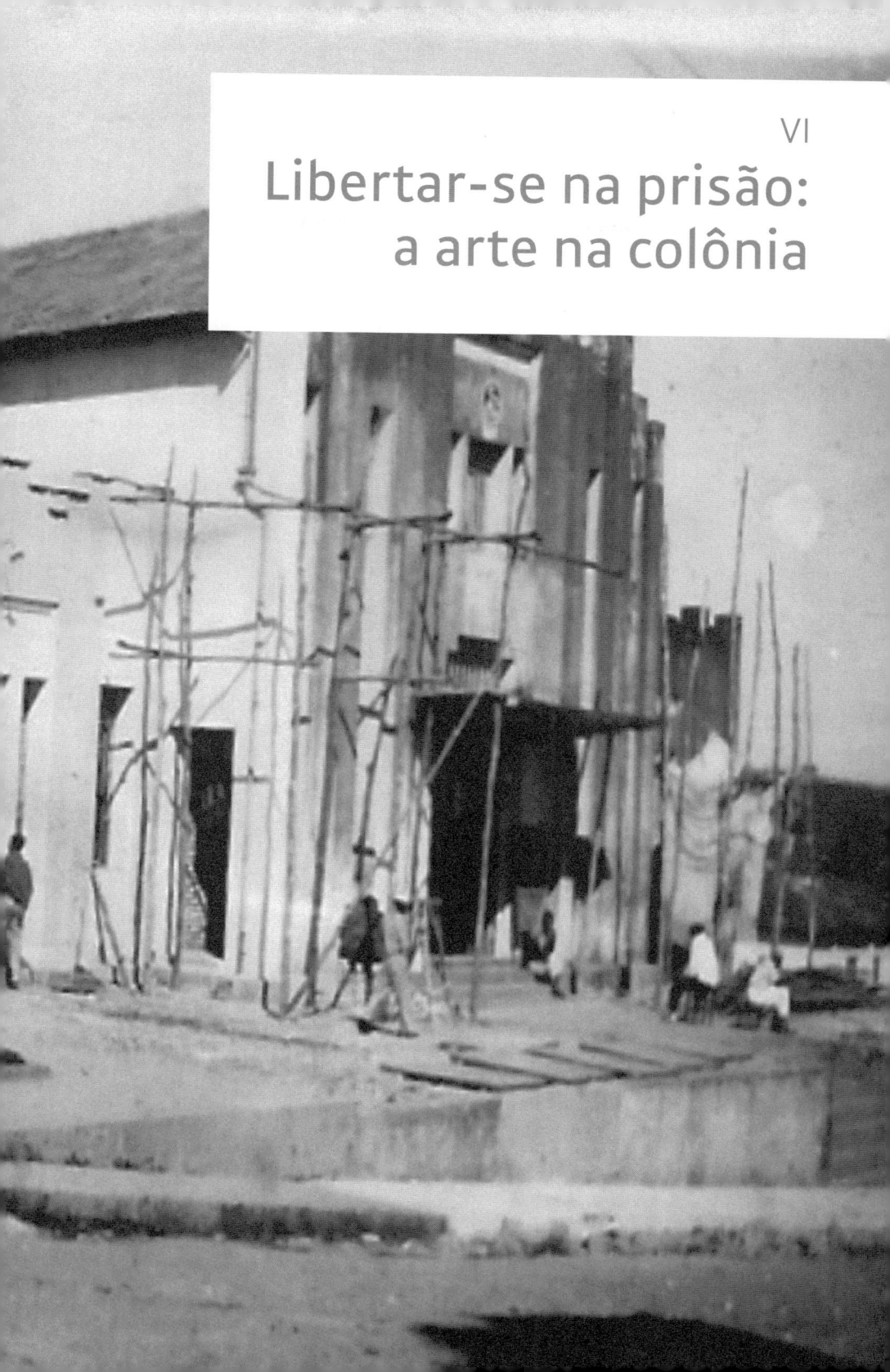

VI
Libertar-se na prisão: a arte na colônia

No meio da angústia que rondava os leprosários, surgiam novos talentos, como um sopro de esperança na escuridão do isolamento. Na Santa Isabel, uma sala de teatro era o refúgio dos internos. Lá, surgiam atores e cantores, figurinistas e assistentes de palco que, na época, não recebiam nomes tão pomposos, eram simplesmente ajudantes. O local continua aberto e em funcionamento. Decoração simples, paredes pintadas do rodapé até a metade de marrom e daí até o teto de branco. Conserva as cadeiras do passado, de madeira maciça. Ao fundo, o palco, sem cortinas ou equipamentos de iluminação.

Quem passa na rua em frente ao edifício antigo pode escutar uma serenata. São vozes firmes, ao mesmo tempo, doces. Um convite para entrar e desfrutar da canção. Fui atraída pela melodia de *Garoto* e os versos de Vinicius de Moraes e Chico Buarque:

Tem certos dias em que eu penso em minha gente
E sinto assim todo o meu peito se apertar

Porque parece que acontece de repente
Como um desejo de eu viver sem me notar

Igual a como quando eu passo no subúrbio
Eu muito bem, vindo de trem de algum lugar
E aí me dá como uma inveja dessa gente
Que vai em frente sem nem ter com quem contar

São casas simples com cadeiras na calçada
E na fachada escrito em cima que é um lar
Pela varanda, flores tristes e baldias
Como a alegria que não tem onde encostar

E aí me dá uma tristeza no meu peito
Feito um despeito de eu não ter como lutar
E eu que não creio, peço a Deus por minha gente
É gente humilde, que vontade de chorar

Nos versos de *Gente humilde*, os integrantes do coral relembram os tempos do isolamento, as histórias da "minha gente" que fazem o "peito se apertar". Naqueles tempos, também se reuniam para cantar. Hoje são quatro mulheres e um homem, todos idosos, e um professor ao teclado. Eles vestem a camiseta que traz, estampado, "Grupo de Seresta Reencontro". As senhoras, vaidosas, capricham na maquiagem e nos acessórios, com correntes e longos brincos.

A mais sorridente do grupo é Expedita. A única mulher a ostentar os cabelos branquinhos, muito bem penteados e enfeitados com presilhas. Criança, já cantava nos pavilhões e na igreja da colônia. Aos dez anos fez seu primeiro solo na missa. Nunca teve aula de música, mas aprendeu muito com um colega, músico profissional que foi parar no

Cine Teatro Colônia Santa Isabel, nos tempos atuais.

isolamento. Seu mentor dizia que Expedita não tinha voz para samba, o que a aborrecia, pois sambar era sua grande alegria. Porém, sempre animada, ela sacudia a habitual calmaria da Santa Isabel.

"A gente fazia muitos *shows*, o que nos ajudava a esquecer os problemas. Não havia aonde ir nem o que fazer. Então a gente arrumava ocupação no teatro, para não ficar pensando demais em coisa ruim. Acredito que é por isso que estou chegando aos oitenta. Eu nunca fui deprimida."

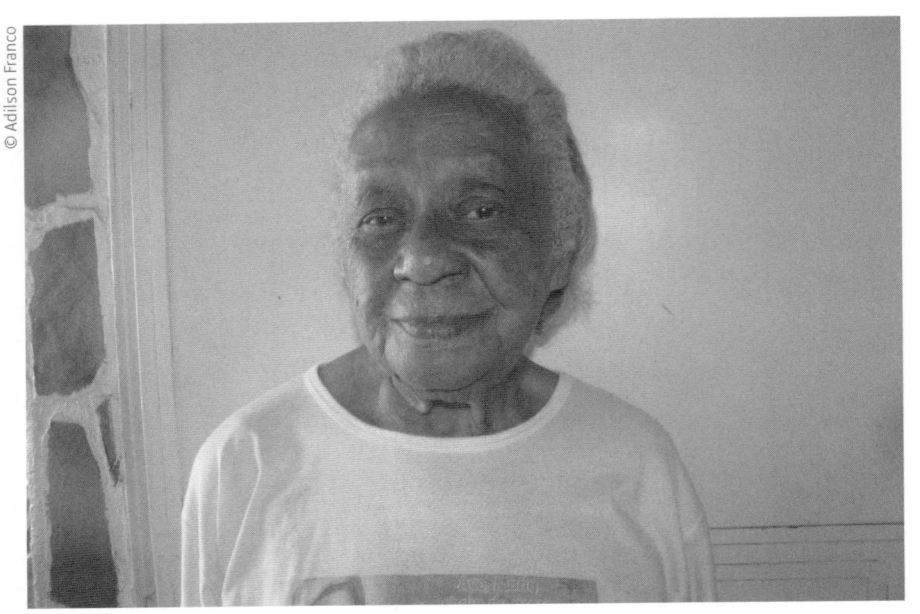

© Adilson Franco

Dona Expedita aprendeu a cantar dentro dos muros da colônia.

Outra voz que se salienta é a de Antônia. Foram a música e a fé que a salvaram de desistir da vida em meio ao tormento provocado pela marginalização na Santa Isabel. Sua história é um roteiro de filme dramático, daqueles que levam a plateia às lágrimas. Porém, hoje, ela se considera feliz.

Antônia levava uma vida pacata. Casada havia dois anos com um policial, tinha uma filha de cinco meses que era sua paixão. Mas surgiram as famigeradas manchas na pele. Sua mãe e os irmãos ficaram aterrorizados. Um deles, então, pegou-a pelo braço e a levou ao hospital. Lá, foi decretada a pior das sentenças.

A mãe de Antônia passou a ter medo da filha e não pensou duas vezes na hora de levá-la à colônia. Antes da viagem, trancou-a em um quarto. Para quem vinha visitá-la para dar os pêsames, a mãe era enfática:

— Passe um pouco de álcool nas mãos, que isso pega.

O pior ainda estava a caminho. Antônia e o marido foram avisados de que não poderiam mais se ver. A filha, Inês, seria dada para adoção. Nenhum familiar estava autorizado a visitar Antônia. O baque foi muito forte.

Aos trinta anos, o marido não aceitou a destruição da família. Passou a andar com os olhos sempre mirando o horizonte, não falava mais com as pessoas, ficava horas parado num canto, com o semblante desconsolado. Não tinha forças para pedir ajuda, sentia-se impotente, sem chão. Foi aí que tomou uma decisão desesperada. Escreveu um bilhete em que dizia que preferia morrer a ter que se separar do seu amor. E se suicidou.

Tudo parecia ser um pesadelo sem fim. Antônia só chorava. Depois da morte do marido, ainda conseguiu ficar mais doze dias em casa para se acalmar antes de seguir para a prisão perpétua. Quando procurou Inês para se despedir, o bebê havia sumido. Perguntou à mãe o que acontecera. A resposta veio como uma lança no peito.

— Já demos para os outros. Não vá atrás, não procure saber onde ela está. Se você for, eu falo para todo mundo que você é leprosa.

Antônia deixou de ser filha, mãe, esposa e irmã. Entrou em estado de choque. Era difícil aceitar a situação. Chegou séria e acuada na colônia. Não vivia, sobrevivia. Não raciocinava, agia por instinto, e chorava muito.

Na Santa Isabel, foi morar no pavilhão feminino com outras setenta mulheres. Recebeu muitos avisos para esquecer o passado, os laços amorosos que tinham ficado para trás, e recomeçar a vida. A mensagem, camuflada de conselho, era insistente e doutrinária. Sem forças para reagir, a lavagem cerebral foi surtindo efeito. Tentou bloquear dos pensamentos e do coração a imagem do marido falecido. Com menos de dois anos de internação, decidiu se casar novamente.

Tocou a vida como pôde. Passado o isolamento, adotou um menino. Tudo fez em busca da felicidade, mas chegou à conclusão que apagar

Antônia e sua filha, Inês. Depois de trinta anos, finalmente se reencontraram; em comemoração, organizaram uma missa.

a filha da memória era impossível. Por causa da ausência dela, a aflição teimava em acompanhá-la, mesmo depois de quase três décadas sem notícias de Inês.

Não tirava da cabeça a obstinação por saber da filha. Até hoje tenta imaginar como teriam sido os primeiros passinhos, as primeiras palavras, os passeios no parque, o crescimento, a fase da adolescência, as inseguranças, a chegada da maturidade. Tudo isso lhe foi roubado. Natal, ano-novo, Dia das Mães, aniversário da Inês e demais datas eram dias para chorar.

Livre da colônia, Antônia saiu em busca da família. Não guardou mágoa dos familiares que a isolaram e a eliminaram de casa como um inseto. Para a mãe, falecida, fez orações no túmulo. Disse, em voz alta, que tudo estava perdoado. Os irmãos também receberam visitas. Um deles deu as pistas para que Antônia encontrasse a filha.

Depois de exatos trinta anos de espera, finalmente a grande notícia. Inês estava morando a 800 quilômetros de Betim, em Buritama, no norte paulista. Antônia partiu imediatamente.

— A minha chegada foi a mesma coisa que a chegada de uma princesa. Nosso abraço foi muito emocionante. Os vizinhos ficaram na rua para acompanhar, todos queriam me conhecer, falar comigo. Foi muita alegria para um dia só. Minha filha me amou desde o primeiro olhar. Já conheci logo os netos. Hoje, tenho três netos e três bisnetos, porque a Inês se casou cedo. Todos me querem muito bem. É muito linda a minha família!

A partir de então as viagens entre Betim e Buritama se tornaram constantes. Mãe e filha organizaram uma missa em ação de graças pelo reencontro. E Antônia cantou para a filha.

© Alexandre Souza

Quinta estação da via-sacra, uma pintura de Veganin,
um dos confinados da colônia. A cruz foi a condenação
de Cristo e a condenação dos hansenianos.

VII

Na via-sacra, um Cristo com hanseníase

uiz Carlos de Souza ficou famoso na Santa Isabel. Tornou-se um dos internos mais conhecidos no país. Tudo por causa do seu talento de artista plástico. Quase ninguém o reconhecia pelo nome, e sim por Veganin. Aliás, quem chegava ao leprosário logo ganhava um apelido. Eram poucos aqueles conhecidos pelo nome de batismo. A mudança de identidade era mais uma estratégia para que a pessoa perdesse o vínculo com o passado, com a história original, as referências, os laços de família. O lema era começar do zero. Vida nova, nome novo.

Veganin é o nome do remédio que Luiz Carlos tomava para aliviar as dores das inflamações nos nervos, provocadas pela hanseníase. Mais tarde, ele seria o responsável por aplicar essa medicação nos outros doentes da colônia.

Veganin foi internado aos vinte anos, em 1970. Teve de largar a família, a cidade natal — Aimorés, em Minas Gerais — e a chance de um emprego promissor em Belo Horizonte. Na época, trabalhava

Veganin, de camisa xadrez, em raro momento de bate--papo com os colegas nas ruas da Colônia Santa Isabel.

© Arquivo Família Flores

como voluntário na Santa Casa da capital mineira, onde provavelmente foi exposto à hanseníase. Ingressou na Santa Isabel assustado com o risco de ver seus membros caírem e de ficar mutilado.

Trabalhou como enfermeiro, marceneiro e pintor. A lida com a madeira aprendera na infância. Gostava de fazer móveis e objetos de decoração. Já a pintura era um dom.

Mulato, Veganin gostava de deixar os cabelos compridos e enrolados. Com personalidade e o temperamento fortes, preferia ficar isolado. Lendo, estudando ou trabalhando. Suas leituras prediletas eram filosofia, sociologia, literatura, psicologia e atualidades. Apesar de ter cursado apenas parte do ensino fundamental, destacava-se por ser culto, autodidata e dono de aguçado senso crítico.

O campo sentimental era o terreno mais pantanoso na vida de Veganin. Pouco se sabe sobre as histórias amorosas que vivenciou. O certo é que sofreu uma grande desilusão amorosa na própria colônia.

Por isso, desistiu de se casar. Nunca quis falar do assunto. Não expressava seus sentimentos e tampouco transparecia afeto, nem pelos mais próximos. Era antissocial. Conservar amizades? Não se abalava com isso. Em geral, as pessoas o procuravam, não o contrário. Há quem garanta que vivia nervoso por não saber lidar com as dores constantes. Odiava ser chamado de artista:

— Sou um cidadão igual a você, eu não sou artista nenhum.

Se ouvisse esse nome, ameaçava ir embora. Foi um grande crítico das próprias obras. Se não gostasse, destruía a tela. Teve ataques de desespero ao se sentir frustrado com o resultado que obtivera.

A obra-prima veio depois que as correntes do leprosário já haviam se rompido. Era um homem livre, mas sofria demais com as sequelas da doença. Decidiu continuar morando na colônia. Apesar da pouca educação formal, gostava de discutir com os religiosos que frequentavam a Santa Isabel. Em 1987, o padre da igreja matriz de Santa Isabel, o frei de origem alemã Francisco Van der Poel, conhecido como frei Chico, fez uma encomenda especial a Veganin. Encarregou-o de pintar os catorze quadros da via-sacra, as cenas do sofrimento e da morte de Jesus Cristo, para serem afixados nas paredes internas do santuário. O projeto tinha uma fonte de financiamento, o St. Bernardinus College, de Heerlen, na Holanda, terra de outro padre que também havia passado pela igreja na colônia, dom frei Diogo Reesink.

Por cinco anos, Veganin se dedicou ao projeto. Fez sucessivas mudanças nas telas e teve de estudar muito a religião católica. Queria sempre ficar sozinho. Argumentava que quem gostava realmente de receber eram os cinco canários-da-terra e os dois sabiás que rondavam sua casa. Eram raras as visitas de amigos, além de frei Chico. Terminar os quadros foi uma questão de honra. Não queria morrer sem concluí-los. Queria, como disse, "deixar alguma coisa nessa vida". Nada melhor do que uma via-sacra tão rara.

Frei Chico foi quem encomendou os catorze quadros da via-sacra a Veganin.

Igreja da Colônia Santa Isabel, onde estão expostos os quadros de Veganin.

© Alexandre Souza

Restaurador Adelito na parte interna da igreja. Ao fundo as obras de Veganin.

Finalmente, em 1992, cumpriu a missão. Sua obra mescla elementos do surrealismo, da *pop art*, além da arte engajada, com fortes críticas sociopolíticas. Pregou os catorze quadros, um a um, nas paredes da matriz. Os quadros, medindo 84 x 60 centímetros, logo chamaram a atenção por uma característica inusitada. É a única série de quadros da via-sacra em arte contemporânea de que se tem notícia dentro de uma igreja. Um detalhe surpreendeu a todos, dos fiéis aos críticos de arte. Em vez de contarem a história da paixão de Cristo exatamente como aconteceu, as telas mostram o sofrimento de Jesus dentro da realidade de Veganin. Ele sabia o que era sofrimento. Para mostrar a dor de Cristo, transferiu aos quadros as próprias chagas. Cristo aparece com hanseníase.

Na quinta estação da via-sacra, em que Simão, o Cirineu, ajuda Jesus a carregar a cruz, Veganin parece pedir ajuda. Na cruz há uma confusão de imagens. Objetos, por todos os lados, constantes na rotina dos doentes e que expressam o calvário de quem tinha hanseníase. Faixas, gazes, comprimidos, próteses, seringas, ampolas, algodão, muleta, além da maca e da ambulância. A cruz foi a condenação de Cristo e a condenação dos hansenianos. Veganin pintou Simão, o Cirineu, como um homem forte, com os pés rachados, que carrega nas costas todo o peso do tratamento da doença.

— Esse homem carregando a cruz era a gente na época. A gente trabalhava pra nós mesmos. A gente carregava a cruz sem calçado.

Jesus retratado por Veganin, também condenado pelos homens, mostra as mãos em garra, com os dedos fechados, consequência dos nervos atacados pelo mal de Hansen, sequela e expressão da incapacidade física que acomete os pacientes. Como se não bastasse, essas mãos já limitadas são obrigadas a carregar a cruz pesada do preconceito, do abandono, das deformações, da perda da família e do convívio social. Além de problemas como a aceitação do tratamento e da própria condição.

Também aparece no quadro o médico Orestes Diniz, antigo diretor da Santa Isabel, e as irmãs da caridade do Monte Calvário, que moravam na colônia. Há ainda um soldado romano com as chagas da hanseníase e um cavalo de Troia que representa o presente de grego que eram as colônias para os doentes. Ao fundo do quadro, o cenário habitual do pintor: a igreja matriz, o cemitério, o rio Paraopeba, os muros de isolamento e o portal de entrada da colônia.

As obras exprimem impressionante crítica social, retratando a exclusão com imagens de índios, negros e menores abandonados, misturados às personagens da colônia. Com a frase emblemática da ditadura militar "Brasil, ame-o ou deixe-o", Veganin dispara sua

© Alexandre Souza

Outros quadros da via-sacra, pintados por Veganin.

desaprovação. No olhar do pintor, a política de isolamento compulsório era semelhante à política de prisão e tortura dos opositores ao regime militar.

Adelito Távora de Carvalho, restaurador de Belo Horizonte, classificou a via-sacra de Veganin como surrealismo político, religioso e social, de valor inimaginável. Ele foi o responsável por restaurar toda a obra do pintor. Enquanto buscava os traços originais de Veganin, viu como os moradores de Santa Isabel e até de localidades próximas respeitam e admiram a obra. Não são raras as visitas à igreja matriz só para contemplar os quadros. Alguns querem tocá-los, outros fazem orações em frente às cenas.

Certo dia, quando restaurava um dos quadros na própria igreja, Adelito viu um senhor chorar copiosamente enquanto admirava a via-sacra. Disse que era alemão, filho de pai brasileiro e mãe alemã. Quando criança, o pai viajou para o Brasil e nunca mais retornou ou mandou notícias. Depois de uma longa investigação, ele descobriu que o pai contraíra hanseníase e fora enviado à Santa

As doze esculturas dos profetas, de Aleijadinho.

Isabel, onde vivera o restante de seus dias. E fora enterrado no cemitério de leprosos.

Naquele dia, o visitante conseguiu a ficha médica e o registro do enterro. Soube ainda que o pai tentara se comunicar com a família na Alemanha, mas todas as suas cartas foram queimadas para evitar a eventual contaminação dos destinatários.

Veganin atingiu o objetivo. Deixou "alguma coisa nessa vida". Terminada sua obra máxima, ainda viveu mais cinco anos. Morreu em 1997.

— Pelejo para ser um artesão, não sou um artista leproso, não sou Aleijadinho.

Veganin percebia que acabaria sendo comparado ao mestre, também mineiro. As semelhanças são muitas. Os dois vieram das

© Roberto Fragoso

Da esquerda para a direita: os profetas Daniel, Ezequiel e Jonas.

Minas Gerais, eram mulatos, encontraram na arte um bálsamo contra as chagas que consumiam seus corpos, deixaram criações famosas nas igrejas e não pararam de trabalhar, apesar das limitações impostas pela doença.

Antônio Francisco Lisboa, o Aleijadinho, foi o maior artista plástico do barroco brasileiro. Sua vida e sua obra são um dos temas mais conturbados da historiografia brasileira. Os estudiosos ao longo dos anos dividiam-se entre os que o consideram um gênio e os que o enxergam como um artista comum.

A confusão já começa na data de nascimento, uma das dúvidas dos pesquisadores. O artista nasceu entre 1730 e 1738 na cidade de Vila Rica, hoje Ouro Preto. Desde criança, antes mesmo de ser acometido pela hanseníase, aprendeu o que era sofrimento e exclusão. Nasceu escravo, filho bastardo do mestre de obras e escultor português Manuel Francisco da Costa Lisboa e da escrava Izabel, mas foi alforriado pelo próprio pai ao ser batizado.

Ainda menino, ajudava o pai e o tio nos trabalhos manuais. Aprendeu a entalhar, desenhar e esculpir toda sorte de material. Por ser bastardo, não foi contemplado no testamento paterno. Exerceu as funções de entalhador, escultor, arquiteto e perito. Destacou--se numa época em que o ouro erguia construções majestosas em Minas. Seu talento tornou-se disputado.

Desenvolveu estilo próprio mesclando elementos do barroco, naturalmente caracterizado pela dramaticidade, pelo jogo de luz com oposição entre claro e escuro, sombras, expressões acentuadas e movimento. O resultado foi uma obra facilmente identificada por esculturas com expressividade acentuada, olhar penetrante, nariz afilado, boca entreaberta, olhos rasgados, cabelos estilizados, queixo dividido. Outra característica forte era o uso da pedra-sabão, matéria-prima brasileira.

Quando Aleijadinho rondava os quarenta, sentiu os primeiros sintomas de uma doença degenerativa, provavelmente a hanseníase. Reclamava de dores atrozes. Seus dedos começaram a ficar deformados e comprometidos. Aos poucos, com a ausência de recursos médicos na época e a impossibilidade de se chegar a um diagnóstico preciso, a doença avançou. Paralelamente, o artista passou por uma mudança drástica de humor. A exemplo de Veganin, transformou-se em indivíduo irritadiço e revoltado. Contudo, continuou a trabalhar. Quando a hanseníase evoluiu, os dedos atrofiaram e se curvaram até cair, restando apenas os polegares e indicadores. Perdeu os dentes, os olhos se inflamaram, a boca ficou torta.

Os textos sobre Aleijadinho contam que, certa vez, ele foi chamado de "homem feio" pelo ajudante de ordens do governador,

José Romão. Para descarregar toda sua raiva, esculpiu a cara do ofensor "bestificada" em uma estátua de São Jorge. Assim, os semblantes das esculturas foram trazendo, progressivamente, traços mais acentuados.

Na pior fase da moléstia, Aleijadinho passou a andar de joelhos, com proteções de couro para não se machucar. Perdera os dedos dos pés e não conseguia se sustentar. Também não podia mais segurar o cinzel e o martelo. Para esculpir, amarrava-os nos punhos. Quando ficou impossibilitado de fazer isso sozinho, pedia para seus ajudantes atarem as ferramentas. Para se esquivar dos olhares de espanto, principalmente depois das deformações na face, trabalhava de madrugada, com capote e chapéus de abas largas. Acreditava que zombavam de sua aparência e que até os elogios ao seu trabalho eram ironias.

A lepra, como então era chamada, dividiu sua arte em dois períodos distintos. Antes da doença, as imagens são equilibradas, passam serenidade e leveza. Após a enfermidade, as obras são fortes, expressionistas, com algumas figuras deformadas. Essa transformação se deu lentamente, percorrendo um caminho drástico e sem volta ao profundo aspecto teatral do barroco, assim como acontece com a evolução das chagas.

A patologia gerou controvérsia. Muitos pesquisadores questionaram se Aleijadinho teria mesmo hanseníase. Alguns sintomas e deformações não eram característicos da afecção. Não seria outro o mal que o atormentava?

Estudos da equipe do hansenologista Geraldo Barroso de Carvalho, da Faculdade de Medicina de Barbacena (MG), concluíram que Aleijadinho padecia de hanseníase mas também de porfiria, uma doença incomum. A porfiria ataca o metabolismo, originando excesso de ferro no organismo. A substância acumulada na pele reage com os raios solares ultravioletas. Com a exposição ao sol, a doença provoca lesões cutâneas como manchas, caroços, bolhas e cicatrizes deformantes. São vários os tipos de porfiria. A mais grave é quando a falha metabólica se dá na medula óssea. O caso de Aleijadinho era uma porfiria cutânea, relacionada à predisposição genética, o que explicaria o grau acentuado de deformações. Não era apenas a hanseníase que agia.

Mesmo com a saúde e a mobilidade comprometidas por duas doenças deformantes, Aleijadinho espalhou suas criações por Ouro Preto, Sabará, Congonhas do Campo, Mariana, Tiradentes e São João del-Rei. Entre elas, o conjunto do Santuário de Bom Jesus de Matozinhos, em Congonhas do Campo. São sessenta e seis imagens esculpidas em madeira de cedro, que formam a via-sacra, e doze imponentes profetas de pedra-sabão.

Foram justamente os profetas da Basílica de Congonhas os protagonistas de uma história controvertida relacionada à hanseníase. Em 1903, num artigo da *Revista do Arquivo Público Mineiro*, o administrador do santuário defendeu a demolição das doze esculturas por causa da qualidade ruim das obras. Ele as considerava "horrendas e detestáveis, típicas de algo produzido por um morfético", palavra usada na época como sinônimo de "leproso". A campanha preconceituosa contra Aleijadinho não vingou.

Atualmente, cerca de 500 peças são reconhecidas como obras do artista. Ele também fez projetos arquitetônicos majestosos que incluem a fachada e o portão da igreja de São Francisco de Assis, em Ouro Preto. Projetou ainda dezenas de crucifixos, fontes, pias batismais, púlpitos e brasões. Mas todo esse acervo só obteve reconhecimento depois da morte do artista, que morreu pobre, doente e abandonado em Ouro Preto, provavelmente em 1814.

Somente em 1978 foi realizada a primeira exposição das obras de Aleijadinho, pertencentes a coleções particulares, no Museu de

Arte Moderna do Rio de Janeiro, bem como a primeira publicação impressa de sua obra. Um catálogo completo, incluindo as coleções particulares, foi publicado em 1995.

Crianças no pavilhão infantil: entre elas Adilson Franco, o primeiro da esquerda para a direita, atrás dos galhos.

VIII

Infância e juventude proscritas

Barulho de sirene ao longe. O grande carro preto: o camburão. Levar pessoas à força. A cena, que habitava o imaginário de jovens e adultos, não era de um filme de ação nem do trabalho de rotina dos policiais nas ruas das grandes cidades. A sirene vinha da ambulância. Os agentes eram de saúde. Temia-se a polícia sanitária, profissionais da área de saúde conhecidos como médicos caçadores. Eles tinham a obrigação de rastrear possíveis portadores de hanseníase. Estes eram conduzidos para exame e, em caso de resultado positivo, encaminhados para o isolamento. Se houvesse resistência, o paciente seguia na marra. Até crianças eram recolhidas pela polícia sanitária e algumas delas nunca mais veriam os pais.

A ação médico-policial se justificava pela falta de solução do Estado para a "pandemia de lepra", como era chamada a disseminação da doença pelo país no século XX. O conhecimento sobre o contágio era escasso e gerava muita controvérsia. A polícia sanitária agia para controlar outras enfermidades, mas a hanseníase era tratada como "alerta máximo".

O tripé adotado pelas autoridades sanitárias era notificação obrigatória, exames e isolamento. O procedimento ganhou força de lei em 1923, com o decreto 16.300, do Departamento Nacional de Saúde Pública.

Segundo a legislação então vigente, a intimação aos doentes deveria ser feita por um médico ou, em sua falta, pelo chefe da família ou parente mais próximo que residisse com o "suspeito". Com esse termo, a lei tratava os pacientes quase como marginais, como corpos policiados, e repassava à família o dever de entregar as vítimas da política de encarceramento às autoridades sanitárias. O peso da lei surtia efeito. Os agentes chegavam aos enfermos principalmente por meio de denúncias dos próprios familiares.

O médico que ousasse infringir o sistema seria declarado suspeito pelo Departamento Nacional de Saúde Pública. Todos os pacientes por ele visitados deveriam ser sujeitos à verificação pelas autoridades sanitárias. O infrator ainda tinha que pagar multa, dobrada caso deixasse de fazer a notificação exigida por lei mais de uma vez.

Diante de tamanho rigor, Adilson Franco foi parar na colônia Santa Isabel aos doze anos de idade. Aos pais não restava alternativa a não ser entregá-lo ao confinamento.

As histórias dos nove anos em que passou isolado retornam à mente de Adilson ao revisitar a velha colônia. Ao se aproximar do antigo pavilhão masculino, a morada coletiva dos jovens sem família, Adilson ficou olhando em silêncio as ruínas tomadas pelo mato. O prédio abandonado não é sombrio só porque está destruído, mas pelas lembranças de quem viveu ali.

— Estas ruínas me lembram muita coisa triste. Coisa pesada, aquelas pessoas sequeladas. Eu olhava aquilo e imaginava: será que vou ficar assim? Meus colegas falavam que eu ia ficar daquele jeito e que nunca sairia da colônia. Eu vivia apavorado com isso...

Por sorte, quando a angústia batia, Adilson tinha a quem recorrer. Procurava uma amiga dos meninos, pessoa sem formação em

Mãos sequeladas por causa da hanseníase.

enfermagem, mas que aprendera sozinha a aplicar as injeções, ministrar a medicação e tomar conta da meninada. Tranquilizava-o dizendo-lhe que não ficaria com deformações, pois já existia tratamento para a lepra. Adilson, de fato, conseguiria a cura antes do surgimento das sequelas.

As distrações — passeios pela colônia, futebol e idas à igreja — foram importantes para esquecer o propósito de escapar do confinamento de qualquer jeito. No início da internação, era esperado que os novatos chegassem inconformados, sempre com o mesmo discurso de "eu vou encontrar uma saída". Com o passar do tempo, todos iam se acostumando, era inevitável, já que não existia a tal saída.

Adilson alcançou a maioridade e começou a trabalhar na Santa Isabel. Aceitou a rotina. Chegou à conclusão que jamais sairia dali. — Não havia mais jeito. Já era. Eu tinha me institucionalizado, me incorporado. Por fim, nem tinha mais vontade de sair. Aquele era o meu lugar.

Os pacientes mais velhos, que acumulavam décadas de isolamento, foram os principais incentivadores do conformismo. Reiteravam que o jovem passaria o resto da vida ali e, se por milagre saísse, nunca conseguiria emprego do lado de fora. Os próprios internos se intitulavam "fichados", como os presos que, ao conquistarem a liberdade, sofrem preconceito no mercado de trabalho.

Mas não foi assim. Logo após o começo do tratamento, Adilson já não corria o risco de transmitir a doença. Ganhou o direito de visitar a família nas férias, uma vez por ano. Viu os portões do leprosário se abrirem, mesmo que por poucos dias. Quando viajava para casa, levava um colega junto. Não para ter companhia ou se divertir, mas para ser vigiado. O passeio tinha prazo de validade, era preciso voltar para continuar o tratamento, sem chances de fugir.

Os medicamentos surtiram efeito. Todo o discurso de isolamento eterno caiu por terra. Adilson enxergou um futuro fora dos muros. Aos vinte e um anos de idade, deixou a Colônia Santa Isabel e foi trabalhar como fotógrafo.

Contudo, existem marcas do passado difíceis de apagar. Mesmo mantendo contato com a família enquanto se tratava, o distanciamento aconteceu. Adilson acredita que ainda convive com um resquício do afastamento compulsório na infância. Não se sente tão próximo dos pais como gostaria.

Imagine, agora, a situação antes do tratamento eficaz chegar aos leprosários. Na Santa Isabel, o contato físico de crianças e jovens doentes com familiares sadios não era permitido sob hipótese alguma. Uma mãe só podia ver e conversar rapidamente com o filho através de um vidro, como ocorre em certas penitenciárias.

Os encontros aconteciam no parlatório. O balcão, com vidro espesso até o teto, separava as famílias. Uma fresta na vidraça facilitava a passagem do som. A fenda era um convite quase irresistível para as crianças. Depois de dias, meses ou anos sem ver a família, suas mãos se enfiavam ali procurando sentir, ao menos, o toque do pai ou da mãe.

Adilson Franco andando entre as ruínas ao lado da autora Manuela. Nestas fotos, à esquerda, quando foi enviado a colônia. À direita, atualmente.

A contravenção, considerada grave pelo risco de contágio da doença, acarretava punição severa. Conta-se que uma menina, certa vez, apanhou e ficou encarcerada em um quarto escuro por vários dias após ser flagrada quando buscava o contato da mãe.

Nem contato, nem parlatório, nem ao menos notícia. Valdivino Vieira de Freitas, conhecido como Bragança na colônia, desvinculou-se por completo da família por mais de vinte anos. Em 1969, assim que completou a maioridade, ao fazer os exames para servir ao Exército Brasileiro, recebeu o diagnóstico terrível. No dia seguinte, já estava confinado. Em vinte e quatro horas, tudo foi interrompido: o vigor dos dezoito anos, o sonho da carreira militar, os amores da juventude, os laços familiares e a vontade de viver. Tão rápido que, arrasado, decidiu-se pelo suicídio. Só desistiu da morte depois de muita conversa com os colegas da colônia.

— Quando recebi os conselhos, veio uma luz na minha cabeça. Esse problema eu tinha que carregar, determinado por Deus ou para pagar por alguém. Veio na minha mente que eu tinha que cumprir aquela sentença. Aí eu fiquei calmo, mas sofri muito com saudades dos meus pais e dos meus irmãos.

Nas festas de fim de ano, a depressão insistia em se manifestar. Bragança se isolava. Os companheiros tentavam confortá-lo. A ausência da família era mais dolorida do que as chagas, que se manifestaram em seu corpo de forma rápida, provavelmente porque ele já estava doente havia muito tempo, sem saber. Hoje, vive sem parte dos dedos das mãos.

Enfrentou durante anos o pavor que sentia da medicação intravenosa. Certa vez, apareceu uma injeção chamada "tatu". Segundo os médicos, era fantástica no tratamento da lepra. Bragança jura que quem levou a picada da tal "tatu" morreu rapidinho. Um colega não teria durado nem uma semana. Esperto que era, conseguiu fugir das agulhas.

Depois de passar quinze anos em dois leprosários do Pará, Colônia do Prata e Marituba, o isolamento compulsório foi extinto. Livre, a primeira coisa que decidiu fazer foi procurar a mãe. Primeiro, mandou cartas para os endereços que tinha da família, mas todos haviam se mudado. Não sabia onde procurar. Passados cinco anos, a solução nas ondas do rádio.

Bragança encontrou um programa, na rádio Educadora do Pará, que procurava parentes perdidos. Encheu-se de esperança e escreveu uma carta para a emissora. Queria encontrar a mãe, Madalena Vieira de Freitas.

Madalena era mãe de dez filhos. Amargou por anos o afastamento do mais velho, isolado na colônia de leprosos, "porque não tinha outro jeito". Era moço bonito, aspirante à carreira militar, arrancava suspiros das moças. Um dia, chegou aos seus ouvidos a notícia mais triste de sua vida: o filho leproso havia morrido. Não se sabe ao certo de onde veio a informação. Sempre no Dia de Finados, dona Madalena acendia velas pela alma do primogênito.

Não bastasse tanta tristeza, o marido faleceu e deixou com ela a responsabilidade de cuidar da filharada. Madalena penou para alimentar a família com o dinheiro que conseguia como lavadeira. Na beira do rio, com o radinho de pilha ligado, o que parecia impossível aconteceu. Escutou o próprio nome. Tomou um susto. Era a leitura da carta do filho mais velho, que não estava morto. As roupas ficaram largadas no rio. A mãe não sabia se chorava, se gritava, se contava para os filhos. Acabou fazendo tudo ao mesmo tempo. Alguns ficaram desconfiados. Acharam que aquilo deveria ser um engano, custaram a acreditar. Imaginaram que a euforia da mãe podia acabar em mais sofrimento. Escreveram uma carta para a rádio a fim de confirmar aquela história estranha. Era verdade mesmo.

Em poucos dias, houve o reencontro entre mãe e filho. Todas as boas lembranças da convivência entre os dois, interrompida por mais de vinte anos, emergiram como se fossem recentes. Madalena descobriu que a família tinha crescido sem ela saber. Bragança era casado havia mais de vinte anos e tinha três filhos.

Com o filho e os netos recém-descobertos, Madalena não pensou duas vezes e aceitou o convite para morar com o filho mais velho. Saiu de Altamira, no sudoeste do Pará, e rumou para o sítio onde Bragança ganhava a vida como produtor rural, próximo à capital Belém. Ali viveram felizes por cinco anos, até que o coração da mãe, tão maltratado, parou de funcionar. Antes de morrer, Madalena disse que gostaria de reunir a prole espalhada por tantas cidades. Não conseguiu em vida mas, no enterro, os filhos estavam lá, ao redor do caixão.

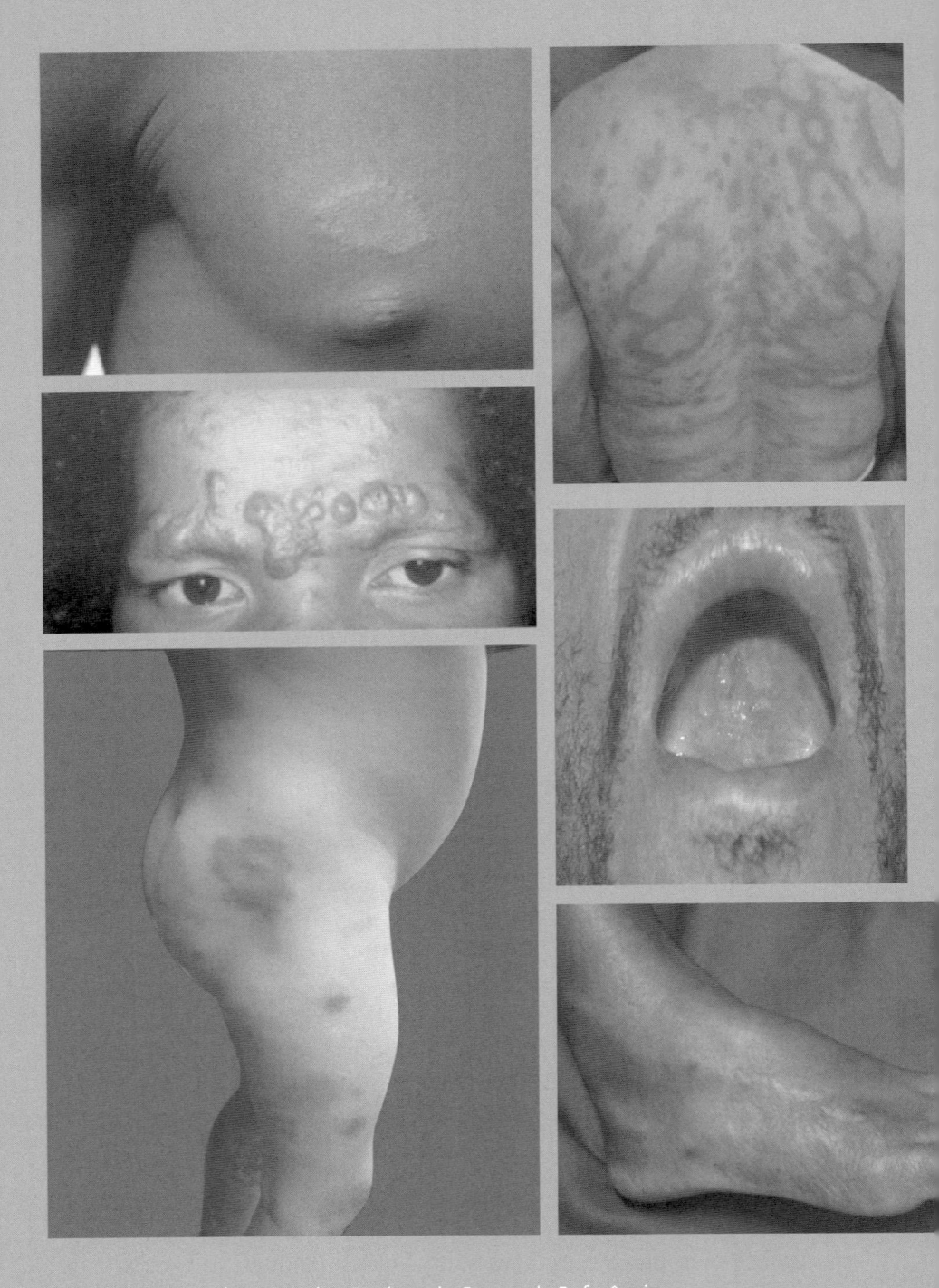

© Dra. Isabela Maria Bernardes Goulart, do Centro de Referência Nacional em Dermatologia Sanitária e Hanseníase, Hospital de Clínicas – Universidade Federal de Uberlândia (MG).

IX

As chagas do passado ainda abertas

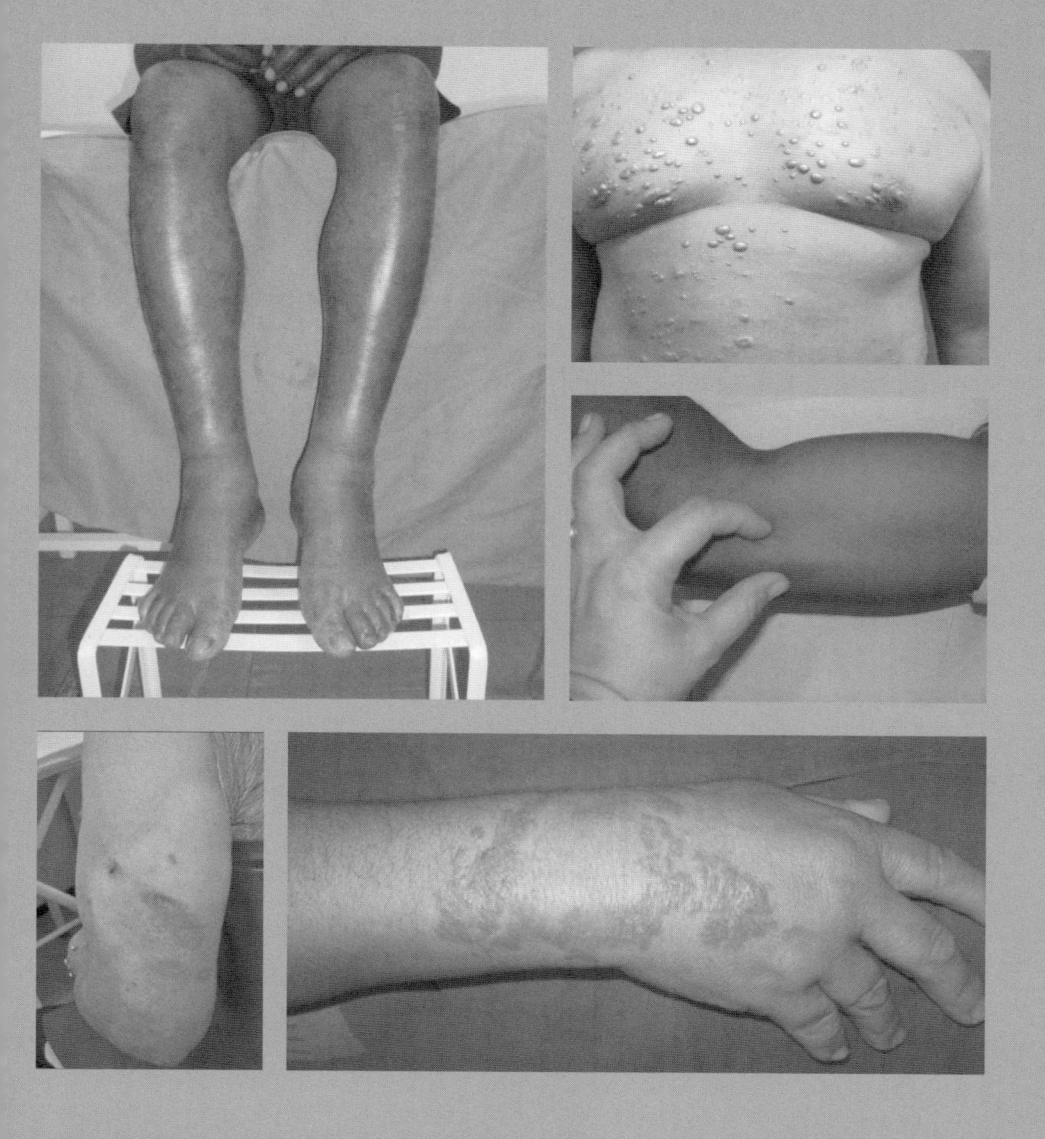

André sempre sonhou com os palcos. Não tinha dúvida que sua vocação era ser dançarino profissional. Aos dezoito anos foi atrás do sonho. Montou um grupo de dança em Sobral, no Ceará. Logo vieram as primeiras apresentações, principalmente em festas nas cidades vizinhas. Em seguida, colocou em prática um projeto de trabalho social: ensinar dança a adolescentes em situação de risco.

A busca pelo sucesso seguia quando André começou a sentir formigamentos e dores nas mãos e nos pés. O diagnóstico: hanseníase em estágio avançado. Provavelmente ele contraiu a doença do avô, que se queixava de algo semelhante, mas morreu sem ser diagnosticado.

Silenciosa no início, a hanseníase somente exibe os sintomas de dois a cinco anos depois. Manchas esbranquiçadas, avermelhadas ou castanhas, lisas ou em relevo, com redução ou ausência de sensibilidade ao frio, ao calor e ao toque, são os primeiros indícios. Outros sintomas são caroços, nódulos e inchaço nas extremidades do corpo. Os sinais surgem em qualquer parte, mas ocorrem com mais frequência no rosto, orelhas, braços, pernas, mãos e pés.

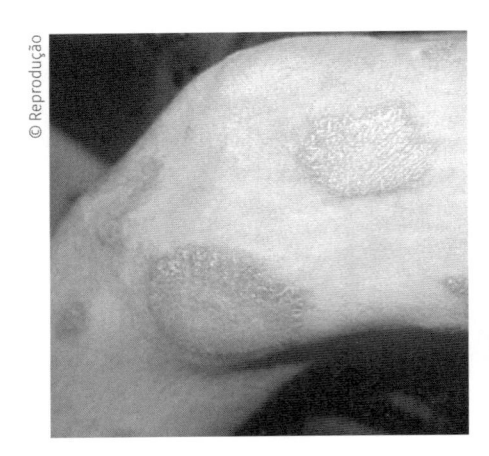
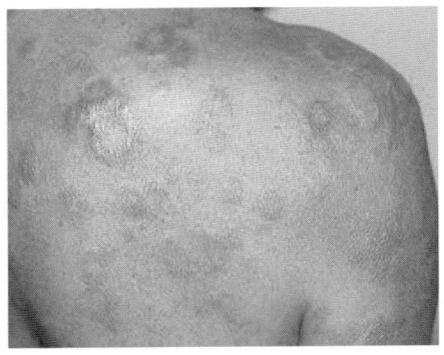

Manchas causadas
pela doença.

As pessoas costumam confundir a hanseníase com afecções de pele, caso do chamado pano branco — doença provocada por fungos — e não procuram tratamento médico. Até hoje, a falta de diagnóstico precoce faz com que o mal se agrave, evoluindo das manchas para a dor e deixando sequelas. Foi o que aconteceu com André.

As dores o atrapalhavam ao dançar, porque o bacilo da hanseníase, o *Mycobacterium leprae*, havia afetado seus nervos, principais alvos da doença. São os nervos que nos permitem ter a percepção das texturas, da temperatura e da dor, além de conduzirem a movimentação do nosso corpo.

André passou um ano tomando a medicação e visitando o médico mensalmente. Curou-se, recebeu alta, mas as reações do organismo e as sequelas não o deixaram em paz. As dores nos braços e nas mãos torna-ram-se mais intensas. Perdeu parte do movimento dos dedos. Quando a bactéria atinge severamente os nervos, os músculos atrofiam e os dedos podem ficar curvados. Na ausência de tratamento, a consequência são lesões graves, incluindo até mesmo a perda dos membros.

O jovem pensou que depois do tratamento voltaria a dançar, mas percebeu que agora está ainda mais difícil.

— Não consigo mais acompanhar os movimentos do grupo. Não tenho a mesma agilidade. Já me considero ex-dançarino.

A lida de casa também ficou mais complicada. André deve cumprir as tarefas do dia a dia com cuidado. Qualquer movimento mais brusco resulta em dor.

— As consequências da doença atrapalharam minha vida pessoal, social e profissional.

Atualmente, ele trabalha como operador de *telemarketing*. No serviço, com as mãos prejudicadas, está cada vez mais penoso digitar. As dores se acirram não só pelo esforço, mas também pela baixa temperatura do ar-condicionado na sala.

André começou a faltar ao trabalho para procurar ajuda médica. Certa vez, quando completou dezesseis dias seguidos de ausência com atestados, a empresa solicitou seu afastamento pelo INSS. Na perícia, apresentou os exames que comprovam o comprometimento de seus nervos. O médico olhou rapidamente os documentos e quis saber em que momento o funcionário sentia o agravamento das dores. André respondeu que isso acontecia durante a digitação e sob o frio da sala.

— Então eu te aconselho a comprar um agasalho — foi a resposta.

O pedido de afastamento foi negado.

Para controlar a dor e continuar trabalhando, o jovem submete-se a uma bateria de medicamentos. Tão fortes, que precisa tomar outros remédios para combater os efeitos colaterais da medicação. Entre as drogas, um protetor de estômago e um antidepressivo.

Sente-se estressado com tantos remédios e com a dor que não vai embora. Triste, reluta em sair de casa. Agarra-se à esperança de resolver o problema por meio de cirurgia. Ao menos no braço mais afetado. Contudo, o médico já adiantou que a redução da mobilidade na mão é irreversível.

— Minha expectativa agora é fazer a cirurgia, tirar essa dor do meu braço, ou ao menos diminuí-la, conseguir trabalhar normalmente e, quem sabe, fazer uma faculdade. Por enquanto estou vivendo um dia de cada vez. As crises chegam da noite para o dia. Vivo em função disso.

O que André enfrenta agora é um legado da doença. Reações inflamatórias nos nervos são comuns depois da cura. Muitas vezes o próprio organismo, ao tentar se defender, ataca fragmentos dos bacilos mortos ainda presentes no corpo. Essas complicações pós-tratamento surgem nos pacientes que demoraram a receber o diagnóstico e, por isso, tiveram uma alta carga de bactérias. As reações podem durar até sete anos.

Ninguém mais precisava passar por isso. Países desenvolvidos praticamente eliminaram a hanseníase. Os casos são raros. Lá, a hanseníase é identificada prontamente, o que faz com que os pacientes sigam o tratamento de imediato, livrando-se das sequelas.

No Brasil, em 2014, foram registrados 31.064 novos casos. Desses, 8% são crianças. Isso sem contar as pessoas que descobriram antes e ainda estão em tratamento e os que não foram diagnosticados. A doença se espalha nos bolsões de pobreza, principalmente nas regiões Norte, Nordeste e Centro-Oeste.

Dados da Organização Mundial da Saúde (OMS) mostram que a Índia é o país com a maior incidência de novos casos. Em 2014, foram 127 mil ocorrências. O Brasil vem em segundo lugar. Contudo, se compararmos esses números com a população total dos países, a ordem se inverte. O Brasil pula para a primeira colocação com 31 mil atingidos para 202 milhões de habitantes, o que equivale a um índice de 1,53 novos casos por 10 mil habitantes. Enquanto na Índia são 127 mil infectados para uma população de 1,269 bilhão. O que corresponde a 1,0 por 10 mil habitantes.

André fala sobre as dificuldades de conviver com a doença.

Em 1991, na Assembleia Mundial de Saúde das Nações Unidas, o governo brasileiro assinou pacto firmado entre 122 países com a meta global de eliminação da hanseníase como problema de saúde pública. A resolução determinava a redução da prevalência da doença para um caso por 10 mil habitantes. Vinte e cinco anos depois, apenas três países não atingiram o objetivo: Brasil, República do Congo e Sudão do Sul. O Brasil já repactuou o acordo e terá de fazê-lo novamente.

O Distrito Federal e mais oito estados conseguiram atingir a taxa de prevalência abaixo de 1x10 mil. São eles: Rio Grande do Sul, Santa Catarina, São Paulo, Minas Gerais, Rio de Janeiro, Paraná, Rio Grande do Norte e Alagoas. O Rio Grande do Sul, inclusive, alcançou a marca histórica no país de 0,1 caso por 10 mil habitantes.

Outros estados, porém, apresentam a prevalência acima de três casos por 10 mil habitantes. É a situação de Rondônia, Pará, Maranhão,

Tocantins e Mato Grosso. Este último tem o pior resultado: sua taxa alcança 9,03 casos por 10 mil. Ou seja, comparadamente com a Índia, uma incidência nove vezes maior.

Afinal, quais são os motivos que atrapalham a eliminação da hanseníase no Brasil? O primeiro ponto a ser analisado é a necessidade de conscientizar a população, de intensificar as campanhas de esclarecimento sobre a importância de procurar ajuda médica quando aparecerem as manchas, manifestação inicial da doença. Como elas não causam dor ou coceira, as pessoas permanecem por muito tempo com os sinais na pele sem tomarem providências, até a hanseníase atingir estágio mais grave.

Outro transtorno reside no acesso, muitas vezes difícil, ao diagnóstico e ao tratamento. Cada bairro deveria contar com postos de saúde habilitados para detectar a doença e fornecer a medicação gratuitamente. O que acontece é que a população, sobretudo das regiões mais isoladas, necessita dispor de tempo e dinheiro para uma longa viagem até o posto.

O Ministério da Saúde faz periodicamente uma avaliação que se chama LEM, a sigla em inglês para Monitoramento de Eliminação da Hanseníase. Com essa análise, é possível avaliar a qualidade do atendimento e a dificuldade em acessá-lo. Os resultados evidenciam que alguns pacientes de baixa renda precisam gastar R$ 16,00 de transporte para chegar ao posto de saúde, valor que pode impedi-los de buscar ajuda ou de perseverar na prolongada terapia, o que não acontece apenas no interior do país. A avaliação constatou que, em determinados momentos, algumas capitais só dispunham de dois centros de saúde preparados para atender casos de hanseníase, como São Luís, no Maranhão.

Também não é fácil encontrar médicos que façam o diagnóstico com presteza. A hansenologia, ou o estudo da hanseníase, não é área que atraia muitos interessados. Por se tratar de doença normalmente associada às populações mais pobres, há pouco interesse nos cursos de especialização da área. Não "dá dinheiro" para os que atendem em consultórios e é pouco valorizada pelos que atuam na rede pública.

X

Quando o médico confunde lepra com alergia à TV

O desdém com a doença que "não dá dinheiro" faz muitas vítimas. Fábio da Silva sofreu na carne os reflexos desse descaso. Alto, trabalhando como salva-vidas, era considerado uma fortaleza de saúde e disposição até ser atacado pela doença. Nunca se submetera a qualquer tratamento. Enfrentou uma peregrinação hospitalar durante dois anos até receber a má notícia. Dois anos em busca do diagnóstico — que não é dos mais complexos — faz pensar que Fábio mora em alguma remota cidadezinha interiorana, pobre e sem recursos. Mas sua jornada aconteceu no Rio de Janeiro...

Fábio notou algo errado ao sentir uma dormência, principalmente nas mãos e nos pés. No início, suspeitou da consequência dos entrechoques do futebol com os amigos. Mas, certo dia, colocou uma bolsa de água quente na perna que estava "formigando". Sem perceber, acabou queimando toda a área em contato com a bolsa. Surgiu uma infecção no local e logo depois os nódulos.

Na primeira consulta pediram-lhe uma bateria de testes de alergia. O médico passou meses suspeitando de reações a remédios ou alimentos. Foram mais de vinte testes. Fábio mal pôde acreditar no último que lhe foi pedido. O médico colocou-o parado diante da televisão durante meia hora. Queria conferir se o paciente tinha alergia à TV... Conclusão? Sem conclusão, mas alergia não era o problema.

As crises pioraram. Ele começou a sentir febres altas, de 40 a 42 graus. Chegou a ter momentos de delírio. A dormência nas mãos e nos pés ficou mais intensa e se misturou à sensação de dor. Os nódulos se espalharam pela pele. Sentia-se improdutivo e abatido. Recorreu à rede particular de saúde. Agora sim descobriria rápido o que o afligia. Também não! Os médicos, alguns deles recomendados por clínicos gerais, pediram mais e mais exames. Um deles desconfiou de alguma doença sexualmente transmissível. Outro cismou que o problema era insuficiência de ferro. O paciente, então, passou a comer muito feijão e a cozinhar com pregos na panela, para garantir o suprimento diário de ferro. Tudo isso sem abrir mão de uma pilha de remédios.

Um colega de Fábio recomendou que ele procurasse um médico do corpo de bombeiros. Os salva-vidas tem proximidade com a corporação, então seria a chance de conseguir um bom atendimento. Na primeira tentativa, Fábio aguardou na fila de espera das 7 horas da manhã às 2 da tarde, até que o médico apareceu na porta e disse:

— Hoje não posso te atender. Esta semana vou participar de um congresso. Volte na semana que vem.

Sete dias depois...

— O doutor não veio hoje. Volte na próxima semana.

Fábio irritou-se. Saiu esbravejando pelos corredores. Desistiu de procurar ajuda por um tempo. Porém, os sintomas não o deixaram em paz. Um mês depois, fraco e febril, apelou novamente ao médico dos bombeiros. O que mais o preocupava era a total falta de apetite.

Depois de mais algumas horas de espera, finalmente conseguiu ser atendido. Foi encaminhado a outra médica que, finalmente, desconfiou do diagnóstico dado.

— Isso está com cara de hanseníase. Você sabe o que é hanseníase?

— Não sei, a senhora me explica?

— Sabe o que é lepra?

— Sei, é uma doença terrível.

— Lepra é hanseníase. Não se preocupe, não é mais uma doença tão terrível assim. Você precisa fazer uma biópsia.

O plano de saúde não cobria o exame. Na rede pública demoraria demais. Fábio estava endividado na época, gastara muito com remédios inúteis. Contudo, fez um esforço e juntou o dinheiro necessário.

Ao receber o resultado da biópsia, ficou nervoso. Como salva-vidas em piscinas, vira muitos casos de doenças de pele e ouvira falar de algumas que impediam as pessoas de entrarem na água. Mas nunca tivera contato com a tal hanseníase. Não era simplesmente uma doença dermatológica, era muito mais grave. Não conseguiu controlar o medo.

"Eu me senti muito triste, angustiado mesmo. Chorei muito. Liguei para a minha namorada e tive até dificuldade de contar o que se passava. Como falar que eu estava com um mal que poderia ser transmitido para ela? Eu tinha muito preconceito contra a doença e a transformei num monstro muito maior do que realmente era."

A médica que pediu o exame o aconselhou a recorrer a um especialista da Fundação Oswaldo Cruz. Na Fiocruz, descobriu que, logo nas primeiras doses do medicamento, não transmitiria mais a doença. A mãe, a namorada e todas as pessoas próximas a Fábio foram à Fiocruz para fazer os testes. Não eram portadoras da bactéria.

Mesmo assim, ele demorou a se acostumar com a ideia de que havia contraído hanseníase. Durante três meses, ficou abatido, sem esperança, sem querer sair de casa. Ninguém conseguia consolá-lo. Tinha vergonha de contar às pessoas sobre a doença.

Durante o tratamento, viu vários pacientes faltarem às consultas e abandonarem a medicação. Decidiu que não faria aquilo. Agora que sabia o que tinha, lutaria até o fim para voltar a ter saúde plena. Aos poucos resgatou o ânimo para enfrentar a vida e o tratamento. Tomava os remédios rigorosamente todos os dias e não faltava às consultas, uma por mês na Fiocruz.

Quando tudo corria bem, veio outro baque. Fábio perdeu o emprego. Ele tem certeza de que o preconceito foi a causa da demissão. A piscina era muito frequentada por crianças. Chegou aos seus ouvidos que os pais não estavam gostando de sua permanência no emprego. Não havia razão para tanto. Fábio já esclarecera que estava em tratamento e, por isso, não representava risco de transmissão da doença. Contudo, a hanseníase era visível, não havia como escondê-la, as manchas estavam lá para condená-lo ao desemprego. Conseguir outra oportunidade foi muito difícil. Depois de dezenas de entrevistas, só voltou ao mercado de trabalho quando as manchas sumiram.

Finalmente, após mais de um ano de tratamento, Fábio ficou curado. E sem nenhuma sequela.

A transmissão da hanseníase se dá pelo contato próximo e prolongado com o doente. A bactéria atinge a pessoa por meio das gotículas eliminadas no ar pela tosse, pela fala e pelo espirro do infectado sem tratamento. Porém, ao final de quinze dias tomando a medicação, o paciente perde a capacidade de contaminar. Pode seguir o tratamento e continuar suas atividades normais.

Não é qualquer pessoa que contrai hanseníase. Apenas 10% da população pode adoecer ao entrar em contato com o agente transmissor. Os outros 90% possuem resistência natural genética ao bacilo de Hansen. Nascem com essa capacidade de defesa. Há casos, não se sabem quantos, de indivíduos que têm a resistência natural, mas, mesmo assim, adoecem com uma forma mais branda da hanseníase. Geralmente vivem em áreas problemáticas, com alta incidência da moléstia. A exposição excessiva à bactéria pode afetar a eficácia de seu mecanismo de defesa.

O diagnóstico é feito, normalmente, com a retirada de pedaços de tecidos da pele infectada. São analisados ao microscópio para identificar a presença do bacilo. Em alguns países, existe um teste sanguíneo. Basta colocar uma gota do sangue do paciente numa fita com um reagente. O processo é parecido com um teste de gravidez. Duas linhas indicam positivo para a doença. Uma linha significa negativo. O resultado sai em menos de dez minutos e, em muitos casos, a hanseníase é detectada antes do aparecimento dos sintomas.

Descoberta a doença, o combate ao bacilo deve começar imediatamente. Ao mesmo tempo, é preciso submeter as pessoas mais próximas ao paciente ao exame de diagnóstico. Alguns médicos recomendam que os parentes do infectado tomem a vacina BCG, que combate a tuberculose. No caso da hanseníase, a eficácia não é de 100%, protege apenas parcialmente, mas pode ajudar a prevenir o contágio.

Uma combinação de três medicamentos ataca a bactéria e proporciona a cura definitiva. É a poliquimioterapia. Quem contrai a forma mais branda da doença, com menor quantidade de bacilos, passa por terapia que dura de seis a nove meses. Portadores com maior quantidade de bactérias precisam se tratar por mais tempo, de doze a dezoito meses. São doses diárias de comprimidos, além de cápsulas supervisionadas pelo médico uma vez por mês.

Mesmo que o paciente se sinta melhor antes de concluir a medicação, não deve, em hipótese alguma, interromper o tratamento, sob o risco de a doença retornar de forma ainda mais danosa. Entre aqueles que seguem corretamente as recomendações médicas, são escassos os episódios de reincidência, menos de 1% do total. Estão dentro deste percentual os moradores de áreas com grande ocorrência da doença e, portanto, submetidos à contínua superexposição às bactérias.

A Colônia João Paulo II virou
abrigo oficialmente em 1983.

XI

A prisão que se transforma em abrigo

Depois de jogarem peladas improvisadas em campinhos do entorno, os internos da colônia paraense de Marituba deram um passo adiante: fundaram duas equipes de futebol. Corria o ano de 1945 e nasciam o alvinegro Perseverança e o alviazul Nacional. Havia forte rivalidade. A competição era levada a sério e exigia treinamento regular dos jogadores. Conta-se que alguns deles chegaram a ser observados por clubes profissionais de Belém.

Homens e mulheres também se envolveram em outro projeto: promover um desfile de carnaval. Surgiram então dois blocos carnavalescos. O Traz Aqui tinha como característica as fantasias criativas, enquanto o Casadinho era conhecido pela animação. Todos queriam mostrar que estavam cheios de vida e que tinham condições de dar duro para fazer o melhor. Durante meses, as agremiações planejavam as fantasias. Com poucos recursos, conseguiam improvisar belos adereços. As costureiras de cada bloco trabalhavam às escondidas, para que os adversários não copiassem suas ideias.

Nas colônias, então, a rotina ganhava ares de normalidade. Caso fosse possível conhecer esses lugares, os visitantes diriam que o ambiente era de um bairro bucólico, como tantos outros. Poderia também parecer uma pequena cidade, dado o tamanho que alguns leprosários alcançaram, com arruamento, organizações sociais e até prefeitura. Apesar do confinamento, os internos se organizavam para tornar a vida mais leve. Muitos deles passaram praticamente toda a existência dentro dessa realidade.

De repente, os portões estavam abertos. Alguns internos foram pegos de surpresa com a informação de que o isolamento compulsório havia terminado. A notícia, que deveria ser comemorada, resultou em certa aflição. E agora, como encarar o mundo lá fora? Onde morar? Onde conseguir emprego?

A princípio, a orientação era procurar os familiares e voltar para "casa", algo que, com frequência, não fazia o menor sentido. As referências de família e lar já haviam se dissipado havia tempos por incentivo do próprio sistema. Alguns até fizeram o esforço de procurar um parente, de ir atrás do endereço onde moraram havia vinte, trinta ou quarenta anos. Muitas vezes, a busca era frustrada. Não poderia ser diferente em uma época pré-internet. E sem ajuda oficial para encontrar os familiares.

A solução, para alguns moradores, era continuar ali mesmo, especialmente para aqueles mais sequelados e sem condições de encarar o mercado de trabalho. Assim, em Marituba, o cárcere se transformou num lugar acolhedor.

O antigo leprosário distava pouco mais de 20 quilômetros do centro de Belém. O local já sediava um vilarejo desde 1880, formado com a chegada de cinco famílias de agricultores. O povoado recebeu esse nome em homenagem à abundância de umari, árvore típica do Pará que produz um fruto também chamado umari, ou simplesmente mari. Usou-se a terminação "tuba" para dar o significado de lugar pequeno.

A região começou a receber muita gente com a construção do leprosário. Inaugurada em 1942, a Colônia de Marituba servia aos propósitos da política nacional de combate à endemia, colocada em prática pelo Serviço Nacional da Lepra, criado um ano antes. Na época, o governo de Getúlio Vargas, no contexto da ditadura do Estado Novo, estabeleceu como prioridade a eliminação da doença. De acordo com o entendimento político naquele momento, nada poderia ser mais eficaz para acabar com a lepra do que a construção e reestruturação das colônias, cada vez mais rígidas e isoladas do resto do mundo. O governo federal fechou diversos acordos de cooperação com os estados para colocar em prática o modelo de prevenção fundamentado na reclusão e monitoramento dos doentes. Assim, a mentalidade segregacionista foi dominando a política, a sociedade, a cultura e o imaginário das pessoas.

Nascida dentro de um cenário ditatorial, a Colônia de Marituba não poderia ter como características principais outras que não fossem a austeridade, a intolerância e a rigidez. Além de adotar o modelo punitivo de outros leprosários, com penas indiscriminadas de prisão para qualquer infração, por mais leve que fosse, os diretores da colônia eram famosos pela intransigência e inflexibilidade. Gostavam de dar ordens como comandantes em um quartel. Nada de questionamentos, reflexão, democracia. Certa vez, um diretor disse que tinha total controle institucional sobre os corpos dos doentes.

Não se sabe ao certo quantos pacientes estiveram ali isolados. Fala-se em 2 mil. Hoje, a situação é bem diferente. Quem passou boa parte da vida confinado e constituiu família em Marituba, por lá mesmo continuou vivendo. Com o fim da segregação, familiares foram atrás dos ex-internos e acabaram se estabelecendo nas cercanias. Além do mais, o crescimento acelerado da população de Belém e a falta de espaço para a expansão da capital também atraíram pessoas para a vizinha Marituba. A ex-colônia virou cidade e hoje faz parte da Grande Belém.

Marituba é um dos menores municípios do estado. Mas com seus mais de 100 mil moradores possui a terceira maior taxa de densidade demográfica do Pará. São quase 500 habitantes por km². A média do estado é de 4,5 habitantes por km².

A referência do passado permanece, mas hoje o velho leprosário se chama Abrigo João Paulo II, localizado na Rua João Paulo II, Bairro Dom Aristides. A colônia virou abrigo, oficialmente, em 1983. Mantido com verbas públicas, ganhou o nome por causa da visita do papa em 1980, em plena campanha pela extinção das colônias. O local funcionou com a mesma estrutura da colônia por muito tempo. Em 1997, uma reforma transformou os antigos pavilhões coletivos em quartos individuais. A estrutura médica foi reformulada, com novos ambulatórios, consultórios e equipamentos, para atender aos abrigados e também ao público externo. Seus moradores contam com ajuda médica para conviver com as sequelas da doença, além de sessões de reabilitação com fisioterapeutas. Suas principais queixas são as feridas, que insistem em aparecer nos pés mutilados e a dificuldade de locomoção e de manipular objetos.

© Alexandre Souza

O Abrigo João Paulo II foi reformado para se tornar o lar dos ex-confinados.

Um dos setenta moradores é o guardião da história local. Com os cabelos brancos, bem penteados, perfume suave e relógio dourado no pulso, Xavier circula pelo abrigo na cadeira com rodas. Ele perdeu as duas pernas. Sempre faz questão de cumprimentar os passantes e adora conversar.

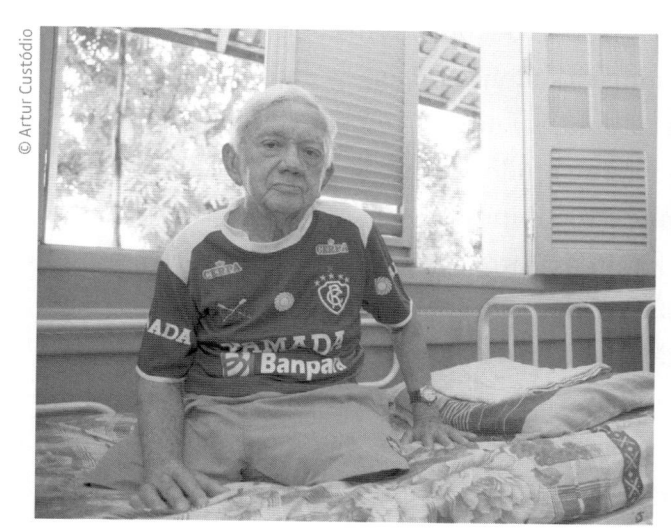

© Artur Custódio

Xavier perdeu as duas pernas. A cadeira com rodas o ajuda na locomoção.

Benedito Davi Xavier foi um dos primeiros internos de Marituba. Foi parar no leprosário em 1943, aos catorze anos. Sua mãe o levou à Marituba porque era perto de Belém e, assim, poderia visitá-lo com mais facilidade. A outra colônia, a do Prata, situava-se a quase 150 quilômetros. A visita acontecia no parlatório, sem contato físico.

O adolescente franzino, ainda com características de criança, chegou ao isolamento acuado, com medo de tudo e de todos. Demorou muito tempo para se acostumar com a situação. A primeira dificuldade foi encarar a maratona de remédios, as temidas injeções, as dores e os efeitos colaterais. Isso na época em que os remédios eram apenas paliativos, todo o sacrifício ainda não servia para conseguir a cura.

Com o advento de uma nova droga, a sulfona, a primeira esperança de cura, Xavier enfrentou outro problema.

— No dia em que eu fui estrear a sulfona, o doutor me deu a caixa de remédio e eu mostrei aos colegas do pavilhão. Em vez de me incentivar a tomar logo, um deles me disse: "Você vai tomar isso? Fulano antes de tomar era perfeitinho". Aí ele apontou um interno bem aleijado e falou: "Depois de tomar, olha como ele ficou".

Foram anos sem tomar a sulfona. Depois de enfrentar inchaços no nariz, nas orelhas e nas mãos, febres, manchas vermelhas e caroços por todo o corpo, Xavier se rendeu ao medicamento. E se curou.

Quando o isolamento compulsório acabou, representantes do governo do estado foram à Marituba conversar com os ex-internos. Aqueles que se julgassem em condições de trabalhar, o governo incorporaria ao quadro de funcionários públicos estaduais. Quem tivesse alguma estrutura familiar como apoio ou meios de conseguir tocar a vida, estava livre para fazer o que quisesse. O restante teria apoio do governo para continuar no mesmo lugar. Foi o caso de Xavier. Com sequelas e impossibilitado de se locomover, ele conseguiu a aposentadoria por invalidez.

Xavier não reclama da vida. Gosta da rotina serena, de acordar às seis da manhã, tomar um café reforçado e em seguida os comprimidos, seguir para trocar os curativos dia sim, dia não, assistir à televisão, ler, fazer várias refeições ao longo do dia, fugir do calor com os passeios pelos jardins do abrigo e, principalmente, conversar. Apesar de se sentir feliz, afirma que, se alguém se preocupasse com ele, não estaria naquele lugar.

— Meus parentes mais próximos são meus sobrinhos. Tenho catorze, nenhum me procura. Se hoje tem filho que não quer saber nem dos pais, imagine se sobrinho liga para tio. Talvez depois que eu morrer alguém me procure.

Foi o que aconteceu com um antigo colega, conhecido como Pia. Ele passou décadas na colônia e no abrigo, sem nunca receber uma visita. Quando morreu, só os companheiros de confinamento estavam presentes no enterro. No dia seguinte, duas sobrinhas do Pia apareceram no João Paulo II. Quando viu aquelas mulheres diferentes, Xavier foi saber quem eram as visitantes.

— Olá, vocês estão procurando alguém?

— Ficamos sabendo que nosso tio faleceu aqui e viemos verificar se ele deixou alguma coisa que a gente possa levar.

— O Pia? Deixou sim, um monte de dívida para pagar. É só o que vocês vão encontrar no quarto dele.

As mulheres chegaram a ir ao quarto do tio e saíram com as mãos abanando.

Depois de falar sobre o abandono da família, seu Xavier já emenda outra conversa no meio, para quebrar o clima ruim. Faz isso com maestria:

— Meu pai dizia: "Meu filho, quando você estiver triste, nunca abaixe a cabeça para pensar, porque só vai vir coisa negativa. Em vez disso cante, assobie, escute o rádio". É o que eu sigo até hoje. Está dando certo. Estou cheio de vida. Estou vendo muita gente indo na minha frente. Do jeito que as coisas andam, posso até morrer hoje ou amanhã, mas acredito que não, vou tirar uns tempos ainda. Eu vejo gente mais jovem do que eu muito mais baqueada. Eu sou guerreiro.

No Abrigo João Paulo II, um dos quartos chama a atenção pelo capricho e a organização. Na estante, uma TV divide espaço com livros, CDs e porta-retratos. No bebedouro, o garrafão está coberto por uma capa pintada à mão com bico de crochê. Sobre a mesinha no canto, uma toalha bordada. Sem falar no longo espelho emoldurado na parede, na colcha da cama e nos enfeites que completam a decoração. Quem mora ali é Missondas Martins de Araújo.

Missondas chegou a Marituba em 1977. Tinha vinte anos. Junto veio a irmã, Edimilsa, de vinte e dois. Chegaram pouco antes do fim do regime de internação compulsória. Não sabiam que o pesadelo estava perto de acabar. Missondas, ao contrário, pensava que nunca mais sairia dali. Observando os mutilados, previu que um dia também ficaria assim.

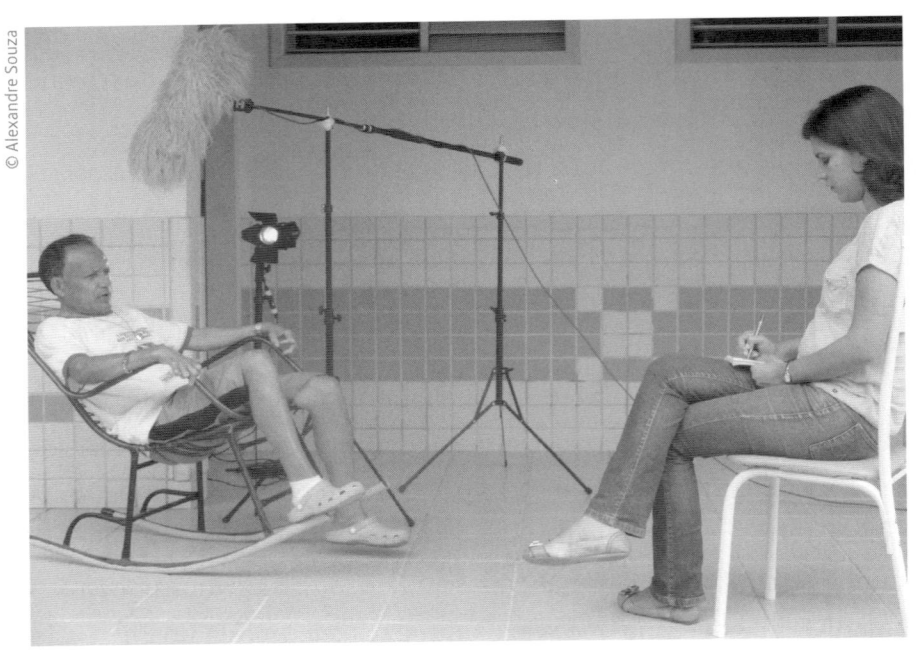

© Alexandre Souza

Missondas machucou-se diversas vezes no trabalho devido à falta de sensibilidade nas áreas afetadas. Ficou com os dedos das mãos tortos, em garra, e os pés com mutilações.

Buscou forças no trabalho. Aprendeu diversos ofícios na sapataria, que também funcionava como oficina de ortopedia e próteses. Três anos depois, quando os portões da colônia foram abertos, foi trabalhar em Belém, na área de ortopedia, como auxiliar de reabilitação em saúde do governo estadual. Edimilsa mudou-se para Bauru, em São Paulo.

Os dedos das mãos tortos, em garra, e os pés com mutilações não o impediram de ter uma vida independente e produtiva até certo momento. Com o tempo, a doença cobrou seu preço. A perda da sensibilidade fez com que se machucasse com frequência sem se dar conta. As feridas demoravam a cicatrizar. Por mais de um ano, um ferimento no pé direito o atormentou. Submeteu-se a uma pequena cirurgia, sem sucesso. Decidiu, então, voltar a Marituba. Finalmente, conseguiu um tratamento eficaz. Por enquanto, porém, quer permanecer no abrigo.

— Em Belém eu tinha uma vida agitada. Aqui me deram a oportunidade de parar um pouco, de seguir um tratamento.

Morador da Colônia
Antônio Justa.

XII

O amor que surge na dor: a solidariedade

E ram raras as pessoas sadias autorizadas a conviver com os pacientes no regime de isolamento compulsório. Normalmente, médicos e religiosos. Seguidamente, frades franciscanos pediam para morar nas colônias, mesmo conscientes do risco de contágio. Alguns adoeciam e sofriam com as mesmas chagas dos assistidos. Passavam de ajudantes para ajudados.

Em 2012, frei Francisco Prique ainda morava na Santa Isabel. Aos noventa e três anos, descrevia-se como alguém devotado à tarefa de cuidar dos mais necessitados, aqueles com as piores chagas e as maiores dificuldades de ter uma vida autônoma. Orgulhava-se em dizer que tinha dedicado a vida a essa missão.

De tanto tratar dos internos, contraiu a hanseníase. Mas não se queixava. Pelo contrário, dizia-se mais preparado para ajudar, porque sabia exatamente o que os pacientes estavam sentindo.

Os anos se passaram e frei Francisco teve acesso à medicação e à cura. Mas somente iniciou o tratamento após obtê-lo para os seus assistidos. Todos se curaram, inclusive ele. Não mais se afastou dos doentes que sofriam com as deformações nas extremidades do corpo. Só se retirou em 2013, com a saúde fragilizada. Morreu logo depois, carregando o título de Frei dos Leprosos.

As irmãs da Congregação Monte Calvário também se dedicavam a cuidar dos hansenianos. Algumas foram contaminadas e continuaram sua tarefa na colônia, o que impressionava os internos.

Frei Basílio de Resende ainda hoje circula pela Santa Isabel. Magro, cabelos brancos, óculos de grau, sorridente, trajando camisa polo e calça social, frei Basílio não traz no vestuário qualquer alusão à condição de religioso. Ele conta uma das experiências mais incríveis que já viveu. Morou com os pacientes e se colocou à disposição deles na época do isolamento compulsório. Teve a sorte de não contrair a doença.

© Alexandre Souza

Frei Basílio morou na colônia e tratou dos pacientes. Diferente de frei Francisco, nunca contraiu a doença. Na foto, ele mostra para a equipe de reportagem a capela dos franciscanos, localizada na Colônia Santa Isabel.

— Certo receio de sermos atacados pela enfermidade vinha nos assombrar. Mas pensávamos que se um de nós ficasse doente, os internos ganhariam um pastor com quem pudessem se identificar.

Franciscanos como o frei Basílio procuravam as colônias movidos pelo exemplo do fundador da ordem, São Francisco de Assis. Quando jovem, Francisco tinha medo e sentia repugnância diante dos leprosos. Mas, certo dia, decidiu afrontar esses seus sentimentos.

— Ao avistar um doente, que não podia entrar na cidade, desceu de seu cavalo, abraçou o homem, beijou-o e viu nele os traços e as feridas de Jesus Cristo pregado na cruz. A partir de então, começou a cuidar de todos os que tinham as chagas da lepra.

Frei Basílio continua auxiliando as pessoas que carregam as marcas da doença. Participa de ações que promovem a conscientização, o diagnóstico precoce — em caso de suspeita da doença — e o trata-mento, se confirmada a hanseníase.

Maracanaú, na região metropolitana de Fortaleza, integra um capítulo significativo na saga dos leprosários brasileiros. A colônia local, São Bento, guarda uma das histórias pessoais mais pungentes, mesmo se comparada com as tantas narrativas dolorosas dos leprosários.

São Bento começou a ser construída em 1937 como colônia agrícola. Posteriormente, ficou conhecida como Antônio Justa. Era o segundo leprosário do Ceará. O pioneiro, Antônio Diogo, no município de Redenção, data de 1928.

Na época, difundia-se a necessidade de abrigar também, dentro das colônias, as crianças sadias que nasciam de pais leprosos. Em 1941, com a inauguração do leprosário, começou a construção da escola Eunice Weaver, também chamada de preventório. De acordo com a mentalidade da época, os filhos, obviamente, ficavam nesse tipo de instituição, afastados da área onde os pais moravam. Eram igualmente isolados, em um regime muitas vezes mais cruel que o dos adultos. Crianças de todas as idades sofriam várias formas de maus-tratos.

São Bento passou a se chamar Colônia Antônio Justa em homenagem ao leprologista cearense que dedicou a vida ao estudo da doença. Manteve o nome de batismo, mas antecedido pela denominação de "centro de convivência". É um asilo onde vivem vinte idosos. Ali permaneceram porque ganharam a liberdade tarde demais, quando já não reuniam condições de atravessar os muros do isolamento atrás de uma outra vida. Uns, pelas mutilações e deficiências impostas pela hanseníase; outros, pela falta de vínculos e perspectivas fora daquele ambiente.

É um lugar bucólico, silencioso, com árvores frondosas e flores que dão colorido à paisagem. É todo circundado por muros altos. Na parte de cima da muralha, os tijolos são aparentes, o que dá a impressão de que houve um reforço recente naquele paredão. De fato, foi o que aconteceu. Na época do isolamento compulsório, pareciam muros de prisão e tinham um objetivo bem claro: evitar fugas. Depois, foram derrubados em nome da liberdade. Ironicamente, tiveram de ser reconstruídos e reforçados para servir de proteção contra a criminalidade do lado de fora. A luta, que antes era pela quebra das barreiras, agora é para que a muralha fique cada vez maior.

O asilo virou uma ilha, cercado de invasões. Se antes o lugar era temido por causa da lepra, hoje não para de atrair gente. Para todo lado que se olhe, há construções irregulares, invasões de terrenos e até de prédios públicos que antes serviam à colônia. Existem denúncias de que alguns desses imóveis foram vendidos ilegalmente. No prédio do antigo refeitório foram encontradas dez famílias morando em espaços separados de forma improvisada. Sem energia elétrica, eles se viram com a água de um poço cheio de lama. Há falta de tratamento de esgoto e de água. Os índices de pobreza e violência são elevados. Cresce também a busca por tratamento de saúde na rede pública do município. Até a incidência de novos casos de hanseníase é registrada no lugar.

Colônia Antônio Justa nos tempos atuais. O lugar mantém o ar bucólico onde os pacientes ainda vivem.

© Alexandre Souza

Rua ao redor da Colônia Antônio Justa. Casos de hanseníase continuam aparecendo.

Quem mora do lado de dentro da muralha tem outros tipos de carência: de carinho, de atenção e de família. São raras as visitas. Normalmente, essas instituições já enfrentam o problema do abandono, agora imagine na antiga colônia, onde a convivência familiar foi quebrada por uma imposição do Estado. Praticamente, os únicos visitantes são voluntários ou pessoas ligadas à Igreja Católica. De vez em quando, há grupos de oração e festas para os idosos nos fins de semana. Organizações de apoio à velha colônia levam equipamento de som, comidas diferentes, com direito a bolo e docinhos, decoram todo o ambiente com balões e tentam quebrar o clima de tristeza. Alguns idosos interagem com os voluntários, conversam, comem alguma coisa, mas dificilmente esboçam qualquer tipo de reação que demonstre alegria. Outros não reagem.

Mas Maria é diferente. Ela abre um sorriso, bate papo com todo mundo e até dança. Maria da Conceição Cabral partilha o quarto — colorido e decorado com trabalhos artesanais — com outras idosas. Ela é a decoradora. Nas paredes, quadros, imagens de santos, crucifixos, recortes de revistas e duas estrelas de Natal com luzes pisca-pisca. A geladeira está coberta de desenhos e pequenos enfeites pregados com ímãs. Bonecas de pelúcia distribuem-se por móveis e cadeiras. Sobre cômodas e estantes, flores de papel em vasos de garrafa pet, passarinhos e pintinhos feitos com embalagens de ovos e os mais diversos enfeites de material reciclado. Não há espaço para colocar mais nada, tudo está preenchido.

Colônia de Marituba, no Pará, inaugurada em 20 de janeiro de 1942. Em cima, à esquerda, o pavilhão de diversões. À direita, o refeitório geral. Embaixo, a escola e a lavanderia.

Colônia de Marituba (PA). Em cima, à esquerda, a casa do médico e à direita a casa das irmãs. Embaixo, a casa dos empregados solteiros e a casa do enfermeiro-chefe.

Cemitério Reino das Rosas na Colônia Santa Isabel em Betim (MG). Lugar reservado para as vítimas da política de isolamento compulsório.

No canto esquerdo, a placa inaugural da Colônia Santa Isabel, de 24 de dezembro de 1931. Na foto maior, os instrumentos da banda marcial da colônia, que participava dos desfiles de 7 de Setembro.

Colônia Antônio Diogo, no Ceará. À esquerda, a residência do capelão, o padre responsável pelos serviços religiosos no leprosário. À direita, as irmãs de caridade que viviam na colônia; o padre Severiano, de preto, e o famoso médico Antônio Justa, de branco, que deu nome a outro leprosário no Ceará.

Na Colônia Antônio Diogo, à esquerda, os internos trabalham com uma perfuradora, para abertura de poços artesianos. A carência de água potável era uma das principais dificuldades no leprosário. À direita, o pátio do prédio da administração.

Na Colônia Antônio Diogo, à esquerda, as crianças do Educandário Silva Araújo. No centro, a casa de frades religiosos que ficaram doentes na colônia. À direita, a capela do leprosário.

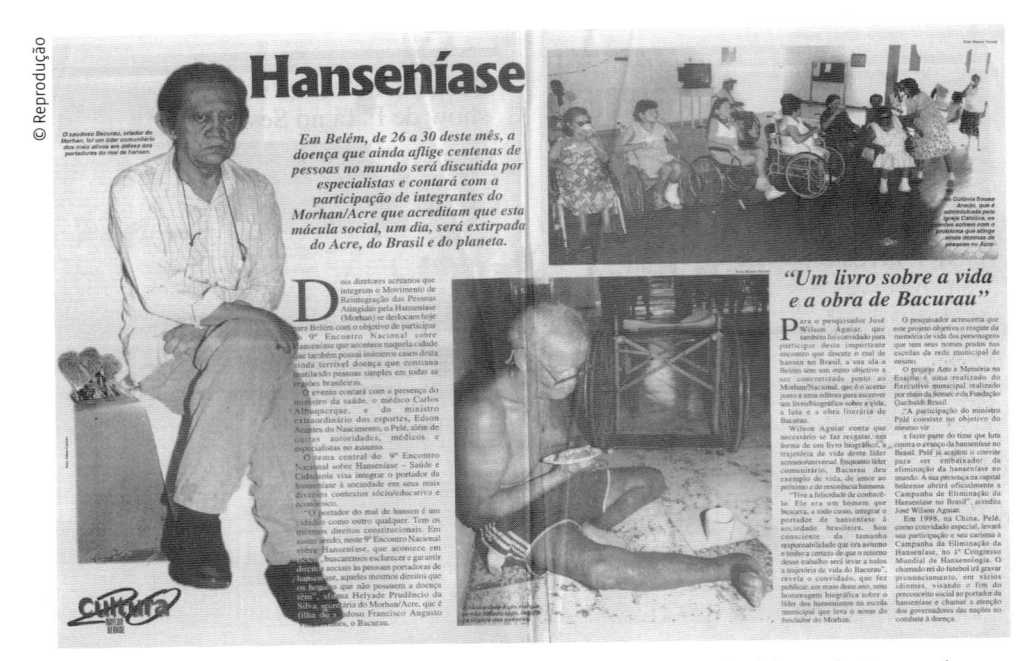

Hanseníase

Em Belém, de 26 a 30 deste mês, a doença que ainda aflige centenas de pessoas no mundo será discutida por especialistas e contará com a participação de integrantes do Morhan/Acre que acreditam que esta mácula social, um dia, será extirpada do Acre, do Brasil e do planeta.

"Um livro sobre a vida e a obra de Bacurau"

Com a criação do Movimento de Reintegração das Pessoas Atingidas pela Hanseníase, o Morhan, a doença começa a ganhar visibilidade nos jornais.

Desfile de 7 de Setembro na Colônia Santa Isabel, em Betim (MG), em 1943.

Educandário Santa Margarida, em Rio Branco, no Acre, para onde eram levados os filhos dos internos do leprosário.

Pavilhão Central do Educandário Santa Margarida, fase final da construção, em novembro de 1945.

Lateral do Pavilhão Central do Educandário Santa Margarida em construção para abrigar os filhos separados dos pais leprosos na hora do nascimento.

Leprosário Helena Bernard, em Catalão (GO). O nome é uma homenagem à integrante da instituição *American Mission to Lepers* (Missão Americana para Leprosos), que financiou a construção da colônia.

Internos do Leprosário Helena Bernard, em frente ao posto médico, pouco depois da inauguração da colônia, realizada em fevereiro de 1929.

Internos da Colônia de Itanhenga em Cariacica (ES).

Praça Central da Colônia de Itanhenga. À direita ficavam os pavilhões das mulheres e à esquerda os dos homens.

Banda Marcial da Colônia Santa Isabel, criada na década de 1930, em Betim (MG).

Início da Colônia Santa Isabel na década de 1930.

As primeiras ruas da Colônia Santa Isabel, em Betim (MG).

Construção do pavilhão dos homens na Colônia Santa Isabel. Com capacidade para 300 moradores, a edificação foi considerada na época notável e barata.

Odisseia de um pai e um filho leprosos. Eles viajaram nesse carrinho, puxado por cabritos, por 240 quilômetros, durante 38 dias, até chegarem à Colônia Santa Isabel em setembro de 1939.

Time de futebol dos internos da Colônia Santa Isabel na década de 1960. Seu Nelson Flores é o jogador agachado na ponta direita.

Dona Antônia mostra o Memorial da Colônia Santa Isabel à autora Manuela Castro.

Dentro do Memorial da Colônia Santa Isabel, as paredes são cobertas por fotos antigas dos times de futebol e dos concursos de beleza no leprosário.

Meninos internos da Colônia Santa Isabel, em Betim (MG).

Além das dezenas de fotos em preto e branco do passado, o Memorial da Colônia Santa Isabel também guarda os objetos que marcaram o dia a dia do lugar, como os instrumentos da banda marcial.

Moradores da Colônia Santa Isabel na década de 1970, em Betim (MG).

Trabalhadores da olaria da Colônia Santa Isabel na década de 1950.

Os internos da Colônia Santa Isabel faziam todos os tijolos necessários para as construções e reformas do leprosário.

Os trabalhadores da olaria da Colônia Santa Isabel contavam com um grande pátio para a secagem dos tijolos. Foto da década de 1960.

Construção do pavilhão feminino da Colônia Santa Isabel, em Betim (MG).

Pavilhão Maria Luiza Machado Vieira, reservado para as meninas da Colônia Santa Isabel.

Rainhas do time de futebol União Esporte Clube da Colônia Santa Isabel, na década de 1950.

Plano de Urbanismo da Colônia Santa Isabel, feito pelo Serviço de Saneamento da Secretaria de Viação e Obras Públicas de Minas Gerais. O Plano foi elaborado para uma população de até 2 mil doentes internos, mas a colônia chegou a ter mais de 5 mil moradores.

N. no Dispensário _____ N. no S. P. 4 _____ N. na colônia _____

COLONIA SANTA IZABEL _____ 28 de Novembro _____ de 193 9

Nome JOSÉ CUPERTINO DA COSTA _____ Ficha social n. 3.542 _____ de LEPRA

Sexo masulino Côr parda Idade 50 anos Estado civil casado

Natural de Juiz de Fora Procedência de _____ Veio de outro Leprosário? não

Condição social humilde Raça _____ Casta _____ Religião catolica

Condição pecuniária pobre

Sabe ler? sim Grau de instrução regular

Funções exercidas comerciario

Aptidão para o trabalho físico e mental regular

Forma e evolução da lepra _____

OBSERVAÇÕES: eiu com ficha e guia de internação.

FOTOGRAFIAS

Prontuário do interno José Cupertino, da Colônia Santa Isabel. O documento trazia detalhes como a condição financeira e a religião do doente.

© Alexandre Souza

A Colônia Santa Isabel foi construída entre o rio Paraopeba (foto acima) e a Mata Atlântica, para dificultar a fuga dos internos que se recusavam a viver no isolamento.

© Alexandre Souza

Ruínas do pavilhão masculino da Colônia Santa Isabel. Hoje o que restou do prédio está cercado por mato.

Rio Paraopeba que circunda parte da Colônia Santa Isabel em Betim (MG).

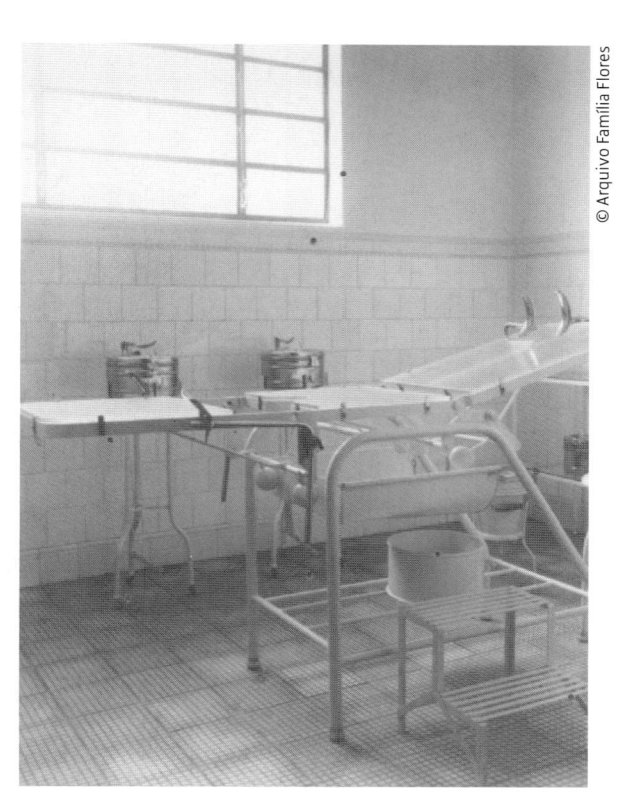

Maca na sala de cirurgia da Colônia Santa Isabel.

© Arquivo Família Flores

Vista geral da Colônia Santa Isabel na década de 1930, envolta pelo rio Paraopeba.

© Thiago Flores

Equipe da TV Brasil entrevista o casal Zenaide e Nelson Flores, na antiga Colônia Santa Isabel, em Betim (MG).

© Alexandre Souza

Dona Conceição em seu quarto todo enfeitado e Maria Rocha, que sempre ajudou a cuidar dos pacientes.

Tanta alegria esconde uma das histórias mais dolorosas da antiga colônia. Aos sete anos, Conceição foi afastada dos pais. Internada, nunca mais voltou para casa. Criada pelas enfermeiras, longe da família, a aflição foi amainando à medida que crescia e percebia que não havia outro jeito a não ser aceitar a situação.

Adulta, encantou-se por um interno, casou-se e teve de encarar a dura realidade de não poder constituir família. Por sete vezes enfrentou a dor que considera a pior do mundo. Sete vezes engravidou, sete vezes os filhos nasceram saudáveis, sete vezes olhou rapidamente para seus rostinhos e teve de se despedir para nunca mais vê-los. Foi difícil de engolir a justificativa de que a separação era a única maneira de garantir que as crianças não adquiririam a lepra. Conceição é como os gatos: tem sete vidas, porque acredita que morreu e voltou aos pedaços em cada parto. Na época, não havia como evitar tanto sofrimento reiterado: as mulheres não sabiam da existência ou não tinham acesso a métodos contraceptivos.

Por fim, o marido morreu e ela ficou sozinha. Contudo, as coisas ainda podiam piorar. Conceição intrigou-se com a ausência de qualquer sequela da doença em seu corpo. Foi despachada para o isolamento por causa de certas manchas na pele. A doença nunca evoluiu além disso. Supôs que a explicação talvez fosse seu esmero com a medicação. Desde os sete anos, eram três injeções extremamente doloridas por semana, fora os comprimidos. Não tinha como se acostumar. Depois da picada da agulha, deixava a enfermaria aos prantos. Seus colegas também seguiram as prescrições cuidadosamente e mesmo assim ficavam aleijados. Chegou a imaginar, também, que a doença não se manifestava como forma de compensação. Como tivera de sofrer tanto, desde tão pequena, Deus decidira livrá-la das chagas.

As hipóteses de Conceição, no entanto, estavam equivocadas. Ficou abalada ao descobrir, quando já estava mais velha, que nunca tivera lepra. O médico responsável pelo diagnóstico, oitenta anos antes, se equivocara. Ela, simplesmente, não precisava ter percorrido aquele vale de lágrimas. Agarrada ao crucifixo que leva ao pescoço, ela interpreta sua sorte de maneira bem particular:

— Sempre acharam que eu era doente, mas veja só, nunca fui. Graças a Deus, nosso Senhor, eu nunca tive nada, porque Ele olha por mim.

Nas mãos de Conceição, tudo vira artesanato. Antes de descartar material reciclável, os funcionários do abrigo perguntam se ela quer reaproveitar alguma coisa. E ela costuma querer. Mesmo sem saber exatamente o que fará com aquilo.Gravamos sua entrevista com um microfone direcional conhecido como *boom*, bem felpudo, aquele que fica preso em uma haste, acima da cabeça do entrevistado. Assim que terminou seu depoimento, ela olhou para o *boom* e disparou:

"Nossa, que gracinha, parece um cachorrinho. Não precisa de muita coisa. Era só colocar uns olhinhos. Já pensou se eu pregasse uns olhinhos acolá?"

Nós nos despedimos às gargalhadas. Bem ao modo Conceição de ser.

A artesã não se sente sozinha. Duas amigas estão sempre por perto. As amigonas, como as chama, são as cuidadoras Maria Rocha de Souza e Antônia Alves do Carmo. Desde os catorze anos, Maria ajuda os hansenianos. Começou quando o pai foi internado na colônia. Sempre que podia, ia visitá-lo. Na época, com a chegada dos remédios que traziam a cura, os visitantes já podiam ter contato com quem estava em tratamento. Maria aproveitava os encontros com o pai para entrar escondida nos pavilhões e nos quartos dos internos. Nunca receou contrair hanseníase. Todos os pacientes a conheciam. Um deles, Zé Arteiro, virou seu amigo. Gostava de observar Zé Arteiro enquanto ele pintava quadros. Quando a menina aparecia no quarto do artista, logo ele ralhava em tom de brincadeira:

— Maria, tu estás aqui? Se a irmã te ver vai brigar, doida!

A irmã era a religiosa responsável pela instituição. De tanto surpreender a jovem conversando com os pacientes, a freira convidou-a para trabalhar na colônia como cuidadora. Maria não pensou duas vezes. Muitos pacientes não conseguiam segurar os objetos porque haviam perdido os dedos. E não havia ninguém para cuidar deles.

Depois de cinquenta anos devotados aos sentenciados à eterna internação, Maria guarda muitas histórias. Em sua casa, uma mesinha de cabeceira serve de lembrança de um paciente marcante, falecido

© Ricarlos Melo

Antônia Alves e Maria Rocha. Além de cuidadoras, amigas dos pacientes.

há mais de quinze anos. Embora velho e desgastado, ela não se desfaz do móvel de jeito nenhum. Foi um presente de gratidão por ter lhe salvo a vida. Deprimido, o interno apenas conversava com Maria, a quem expunha todas as suas amarguras. Confessou, mais de uma vez, a vontade que tinha de se matar, mas a cuidadora o repreendeu com firmeza. Certo dia, Maria ouviu um barulho assustador vindo do quarto do paciente. Ao chegar à porta, encontrou-o desmaiado, com uma corda no pescoço. Correu em busca de socorro. Um enfermeiro reanimou o quase suicida. Desde aquele dia, para o paciente, Maria se tornou o único membro de sua família.

Na sua rotina, além de suas tarefas, a cuidadora demonstra interesse por tudo que os pacientes têm a dizer. Não apenas entrega o lanche, mas leva-o na boca dos que não têm mais dedos. Também come junto com eles e traz de casa pequenos agrados, como docinhos. Após banhá-los e vesti-los, verifica se as roupas estão em ordem. Quando encontra algo descosturado ou puído, ela mesma providencia o conserto. Se alguém indaga quando se aposentará, ela se esquiva:

— Não penso sobre isso. Não quero me afastar deles.

Quem também não quer saber de aposentadoria é Antônia, a outra amiga de Conceição. Conversa com os idosos segurando-lhes as mãos. A primeira vez que foi ao asilo, decidiu que queria trabalhar lá. Como não havia vaga para contratá-la com carteira assinada, topou cuidar dos velhinhos em troca de cestas básicas. Teve de enfrentar a resistência do marido e dos vizinhos. Temiam seu trabalho junto a pessoas "que tiveram uma doença tão grave", ainda por cima sem ser contratada. Manteve-se em dois empregos por muito tempo até conquistar o posto de cuidadora. A exemplo de Maria, não quer saber de aposentadoria.

— A gente se apega a eles e forma uma família, por isso até hoje estou aqui. Só saio quando não puder mais ajudar, quando estiver bem velhinha. Ou nem saio, venho morar aqui para receber cuidados também.

Para garantir que não contaminariam ninguém na viagem até a colônia, pacientes eram colocados em um vagão isolado de uma locomotiva, reservado só para pessoas com "moléstias contagiosas".

XIII

Moléstias Contagiosas:
grafia personalizada no trem
para transportar a primeira
leva de doentes

O maior impedimento para que gente saudável tivesse acesso às colônias não estava apenas nas regras rígidas de isolamento impostas pelo Estado. O que acarretava mesmo o afastamento entre os doentes e a sociedade era o medo da doença considerada maldita havia milênios. A população apoiava a política pública de separação dos contaminados como forma de combate à antiga lepra.

Com a cura e a chegada da medicação ao Brasil, começou também o movimento em favor da alta aos pacientes com hanseníase negativada por meio de repetidos exames. Corriam os anos 1950 e era a primeira tentativa de abrir os portões dos leprosários.

No entanto, poucos internos conseguiram a alforria. O movimento de libertação enfraqueceu. A sociedade, preocupada, colocava a cura em dúvida. Mesmo os médicos se mostravam receosos e questionavam os exames. Alguns argumentavam que os remédios, talvez, somente estancassem a progressão da hanseníase sem destruir totalmente o bacilo. Ou seja, o micro-organismo entraria em estado latente.

Será que permaneceria inativo no restante da vida do paciente? E se voltasse a se manifestar? E se a transmissão da hanseníase tomasse proporção descontrolada? Houve uma rejeição, em todas as esferas da sociedade, à abertura das colônias. Em outros países, o processo, quase sempre, ocorreu sem sobressaltos e rapidamente, sem tantos questionamentos. No Brasil, porém, o confinamento entranhara-se na cultura, tornando-se instrumento de controle da paz social.

Também no Ceará, outra colônia simbolizava bem o cenário de medo. A própria sociedade local, diante da falta de recursos do governo para colocar em prática a política de erradicação da lepra, mobilizou-se pela construção de um lugar para os leprosos do estado, distante 55 quilômetros da capital Fortaleza. Em agosto de 1928, foi inaugurado o asilo da Canafístula, no município de Redenção. Em seguida, converteu-se no leprosário Antônio Diogo, homenagem ao industrial que financiou a maior parte da construção.

A primeira leva de doentes já chegou ao local com uma amostra do confinamento que enfrentariam para o resto da vida. Para garantir que não contaminariam ninguém na viagem até a colônia, trinta e cinco pacientes de Fortaleza e sete de outras localidades foram colocados em um vagão isolado de uma locomotiva, reservado só para pessoas com "moléstias contagiosas". Em outro vagão afastado, seguiram um médico e um sacerdote. O vagão "especial" se tornou o meio oficial de transporte rumo ao Antônio Diogo.

O primeiro paciente, registrado no dia 9 de agosto de 1928, foi Raimundo Gomes. O agricultor, de trinta e dois anos de idade, morreu depois de seis meses de internação. As instalações eram precárias. Não havia luz e faltava água com frequência. Os remédios eram insuficientes. Apenas um médico entrava na colônia, uma vez por semana. Não havia tratamento digno. Resumia-se a um depósito de leprosos. Assim, a população ficava tranquila quanto ao risco de contágio. A

© Família Flores

Pacientes aguardando a saída do trem "especial" para moléstias contagiosas.

instituição não recebia verba para sua manutenção. Então, entidades filantrópicas ajudavam-na financeiramente e também recolhiam os doentes que encontravam nas ruas para enviá-los ao isolamento.

Nos quatro primeiros anos do leprosário, 120 pessoas foram internadas, aos cuidados do único médico, o leprologista Antônio Justa, e de seis freiras da ordem dos franciscanos. A partir de então, no governo de Getúlio Vargas, o Ceará e outros estados passaram a receber verbas federais para melhorar e ampliar as colônias.

O medo do contato com os doentes era tamanho que não havia quem fosse à instituição entregar jornais e revistas. No dia 28 de junho de 1940, dois aviadores, Francisco Távora e Carlos Kayatt, receberam a missão de deixar os internos bem informados. Como numa batalha, subiram em um avião carregado de publicações, sobrevoaram a zona perigosa e fizeram chover jornais e revistas sobre o leprosário.

Na colônia circulava uma moeda própria. Só os doentes podiam manuseá-la. Era recebida em troca de seu trabalho no confinamento, principalmente na lavoura. Com o dinheiro na mão, pagavam pelos serviços prestados pelos colegas, como corte de cabelo.

© Arquivo Cristiano Torres

Moedas do leprosário: ninguém, além dos doentes, as manuseavam.

O último registro de internação data de 1983. Era um paciente vindo do Pará. Atualmente, o antigo leprosário ainda preserva a memória dos velhos tempos. Conserva os muros altos. Em parte das instalações, funciona um centro de convivência para os antigos internos. Eles recebem tratamento para as sequelas da hanseníase. Eventualmente, surgem novos pacientes. Um morador de rua, portador de hanseníase em estado avançado da doença, foi buscar tratamento no Antônio Diogo por determinação judicial.

Em outro setor, moram os familiares dos ex-pacientes que vieram se juntar aos libertos. A arquitetura do passado foi conservada, com várias casas iguais, uma ao lado da outra, e espaços de lazer amplos, projetados para que os doentes fossem vigiados em qualquer ponto onde estivessem. Hoje, Antônio Diogo é um dos primitivos leprosários mais bem preservados do Brasil. Funciona como um condomínio fechado, com direito a guarita na entrada para identificar os visitantes.

© Thiago Flores

© Alexandre Souza

Fotos da Colônia Antônio Diogo, desde sempre a moradia de Pirelli.

Quem passou pelo isolamento não culpa os que temiam se aproximar da colônia. Muitos admitem que eles próprios chegaram apavorados para a internação. Era comum pacientes novos evitarem contato com os antigos. Embora contaminados, receavam comer a refeição feita por leprosos, acreditando que poderiam ficar ainda piores. É famosa a história de um jovem que passou a primeira semana à base de biscoito de água e sal que trouxe na bagagem. Quando os biscoitos acabaram, teve de se render aos pratos do refeitório, todos preparados por cozinheiros tão doentes quanto ele.

Se os próprios internos tinham pavor da lepra, imagine-se então os familiares. Aldenor dos Santos ingressou no Antônio Diogo nos anos 1970. Aprendeu na marra a enfrentar a separação. Sabia que era amado por pais e irmãos, mas reconhecia que o afastamento era necessário para que a família não experimentasse o infortúnio que estava enfrentando. Viu colegas adoecerem ainda mais rapidamente, desgostosos pela rejeição dos parentes. Alguns morreram sem se despedir dos entes queridos. Os corpos apodreciam à espera de um familiar para enterrá-los. Por fim, terminavam em uma vala, sem ninguém para acompanhar o funeral.

Com o fim do isolamento compulsório, Aldenor viveu a fase de transição. Percebeu que, gradualmente, as pessoas foram perdendo o medo de conviver com ex-internos. Por ter os dedos deformados, detectava certa repulsa ao sair à rua. Atualmente, não percebe mais reações de medo ou repúdio.

As rodas da cadeira de Pirelli estão acostumadas a circular pelo Antônio Diogo. Cego, sem dedos nas mãos e uma perna amputada, é notável ver como consegue reagir à adversidade com estado de espírito favorável. Ainda empurra as rodas com o que sobrou das mãos. Viaja por todo o Brasil para participar das mobilizações do Movimento de Reintegração das Pessoas Atingidas pela Hanseníase, o Morhan. Confessa que é muito festeiro e sabe aproveitar a noite.

— Bebo uísque? Bebo! Bebo cerveja? Bebo! Socialmente bebo. Curto a vida? Curto! Pulo a cerca? Pulo! Vou à seresta? Vou! Só tem uma coisa que eu gostava de fazer e agora não posso mais, que é dançar forró. É essa a vida do Pneu Pirelli: carequinha, mas rodando pelo Brasil afora.

O nome José Arimateia Costa só é utilizado em situações formais. O apelido, que não poderia ser mais adequado, ganhou dos amigos de isolamento, com quem dividiu a maior parte da vida. Pirelli entrou muito jovem na colônia: em 1953, aos doze anos. Naquele momento, percebeu que perdera o convívio familiar, a saúde e o sonho de ser militar.

— Eu perdi o direito de sentir o calor humano dos meus oito irmãos, da minha mãe e do meu pai. Até hoje explico aos meus irmãos que somos muito diferentes, porque não fomos criados juntos. Pelo menos eles me abraçam, nunca me trataram de forma diferente, não me olharam com os olhos de rejeição da sociedade.

No leprosário, Pirelli orgulhava-se de trabalhar na roça, em terras em que "tudo dá". O que mais os internos plantavam era feijão, milho e banana. Muitas vezes, demorava-se o dia inteiro na lavoura para juntar um dinheirinho. Tudo era barato. Quem comprasse o equivalente a um real de banana, tinha até dificuldade de levar para casa. A manga sobrava, não tinha quem desse conta. Pirelli também regava os coqueiros, de manhã e à tarde. Ganhava cerca de mil réis pelo serviço. Como não parava quieto, fazia bico de pintor embelezando os prédios na colônia.

Pirelli organizava as festinhas no leprosário. No período de carnaval e dos festejos juninos, o lugar "se enchia de vida". É disso que sente mais saudade.

Hoje, a agitação vai além da vida noturna. Pirelli pertence à executiva nacional do Morhan, viaja pelo Brasil e adora um microfone. Discursa e destaca o trabalho de conscientização em favor do diagnóstico precoce da doença e do recurso imediato ao tratamento. Faz questão de se mostrar como exemplo das sequelas que aparecem em quem tem hanseníase e não toma a medicação corretamente.

Com fome de desafios, Pirelli vangloria-se de contar que largou o cigarro em 2012, depois de cinquenta e cinco anos fumando. Certo dia, quando passeava com um amigo, a carteira de cigarros foi-se bem rápido. No derradeiro cigarro, tiveram de dividir o fumo entre os dois. Pirelli se desesperou e fumou até o filtro. O gosto do algodão o fez refletir. Ele, que já tinha vencido tantos obstáculos, não ia deixar o vício dominá-lo para sempre, raciocinou. Naquele dia, quando conseguiu comprar uma carteira, olhou bem para a embalagem e pediu para o amigo jogá-la fora, cheia.

Outros tantos desafios ele tenta superar no dia a dia. Gosta, por exemplo, de estudar maneiras de tomar banho sozinho, quando possível, principalmente durante as viagens. Alguns empecilhos são mais complicados, então corre atrás de ajuda, como na hora de abotoar o cinto ou de abrir a braguilha da calça. Confessa que isso, às vezes, o deixa para baixo.

— Pergunte-me: o senhor tem momentos de tristeza? Eu digo que tenho. O senhor tem momentos de mau humor? Eu digo que sim. Normal, como todo mundo. Porque tem coisas que eu quero conquistar, quero fazer e meus limites não me permitem. O importante é que no geral eu sou feliz. Tenho felicidade para dar àquelas pessoas que acham que não são felizes.

Depois da conversa com Pirelli, continuei tendo notícias dele pela internet. Fiquei triste ao saber que, no dia 5 de outubro de 2014, dia do aniversário dele e do primeiro turno das eleições, Pirelli, em vez de ganhar um presente, perdeu o direito de votar. Uma juíza eleitoral o considerou inapto, apesar de ele sempre ter votado. Alegou que aquele

© Thiago Flores

Pirelli tem algumas dificuldades para ações básicas como abrir a braguilha, mas nada o impede de disseminar lições importantes pelo Brasil.

eleitor era cego e deficiente, com sérios problemas nas digitais, e não poderia comparecer à urna acompanhado.

Quase quatro meses depois, no dia 30 de janeiro de 2015, veio a última notícia dele, no *site* do Movimento de Reintegração das Pessoas Atingidas pela Hanseníase:

— É com imenso pesar que informamos a perda de um companheiro de luta. Mesmo em um momento de luto desejamos profundamente que a tristeza da perda não apague a grandeza das conquistas e a semente da vitória plantada por este grande homem. Que sua força possa servir de exemplo, que a sua perseverança seja um farol iluminando o caminho de todos aqueles que trabalham em busca de um mundo melhor. Pirelli foi um exemplo de obstinação na busca por um mundo melhor, um mundo sem hanseníase, acima de tudo sem desigualdades e mazelas sociais. Descanse em paz, Pirelli! O serviço funeral será realizado amanhã, 31/01/2015, às 16h no Cemitério de Antônio Diogo — Redenção, CE.

NESTE LUGAR TODOS S...

No leprosário todos eram iguais,
mas se tornavam completamente
diferentes aos olhos
preconceituosos da sociedade.

XIV

Preconceito, a sequela que não se vê

A infância no Rio de Janeiro no início dos anos 1950 era uma maravilha. A molecada só pensava em futebol e praia. Corria livremente pelas ruas e voltava tarde da noite para casa. Os pais nem se preocupavam.

Jovino organizava as peladas com a turma depois da escola. Nos fins de semana a paixão era outra: brincar nas praias da Ilha do Governador com os primos. As crianças até se esqueciam da hora do almoço com tanta brincadeira. O tio, orgulho da família, vivia na área militar da ilha. Era taifeiro da aeronáutica. Quando Jovino o via pronto para o trabalho, falava para a mãe que o sonho dele era vestir aquela farda.

Aos sete anos, manchas estranhas apareceram na barriga e nas costas do menino. O pai fez uma verdadeira peregrinação pelos hospitais do Rio. Os médicos não sabiam que mal afligia Jovino. No Hospital Geral de Bonsucesso, um clínico, sem revelar o diagnóstico, limitou-se a dizer que o garoto precisava se internar, porque tinha um problema sério. O pai ficou transtornado. Não sabia como encarar a mulher grávida e os outros dois filhos. Foi a um bar beber e pensar sobre o assunto. Quando chegou em casa, rasgou o documento que dava o encaminhamento para a internação e gritou:

— Não vamos internar meu filho. Ele está muito novo, não vou deixar!

Três dias depois, tocou a campainha. Da janela, dava para ver a ambulância preta com o motorista, além do médico e da enfermeira na porta. Era a polícia sanitária. Eles conversaram com a mãe de Jovino. Explicaram que a criança precisava fazer vários exames para descobrir a doença e que o quadro dele era muito grave. A mulher pediu que ela mesma levasse o filho ao hospital na manhã do dia seguinte, e que ele só fosse internado depois de terminados os exames e concluído o diagnóstico. Assim foi feito.

Jovino lembra com detalhes dos testes a que foi submetido. Em um deles, o médico pegou um tubo de ensaio com água quente e outro com água gelada e ficou passando nas manchas para saber se o menino sentia alguma coisa. Também picava-o com agulhas nas áreas atingidas. Antes da internação, para que o garoto continuasse morando em casa, a família teve de fazer adaptações. Um vaso sanitário foi reservado só para Jovino. Ele não poderia mais dormir no mesmo quarto dos irmãos nem usar as mesmas roupas. O mais difícil foi ter de abandonar a escola. O pai pediu a uma professora que morava nas imediações, a dona Fia, para dar aulas ao garoto dentro de casa. Quando ela questionou o porquê, o vizinho inventou uma desculpa. Disse que era para exigir mais da criança, para que se dedicasse mais aos estudos.

Em pouco tempo, as manchas se alastraram para a perna e surgiram caroços no braço. Os médicos já tinham certeza do diagnóstico, mas não avisaram de imediato à família, apenas fizeram o encaminhamento para a internação. Quando a mãe levou Jovino ao hospital, perguntou à enfermeira que o acolheu se ela sabia, afinal, qual era exatamente a doença do filho.

"É lepra. Fique tranquila, que ele é muito jovem e o caso dele já tem cura."

A mãe disparou a chorar compulsivamente e voltou para casa sem a criança.

Depois de alguns anos de tratamento, as manchas desapareceram. No dia 5 de fevereiro de 1961, quando estava perto de completar quinze anos, Jovino recebeu alta. E sua família recebeu o seguinte documento:

ATESTADO

Atesto para os devidos fins que Jovino Augusto da Costa Filho esteve internado no Hospital Frei Antônio, submetendo-se a tratamento de lepra. Outrossim, que ao deixar o leprocômio apresentava negativação baciloscópica para o bacilo de Hansen quer no muco nasal ou esfregaço.

Para Jovino, a experiência não foi tão ruim como se esperava para a mentalidade da época. Voltou ao convívio da família e dos amigos. Poderia seguir uma vida normal. Um ano depois da alta, precisou de cuidados médicos novamente, por causa de reações ao tratamento. Decidiu, então, morar em Itaboraí, região metropolitana do Rio, onde conseguiria se tratar no hospital da Colônia Tavares de Macedo e arranjar um emprego.

Quando completou dezoito anos, foi atrás do sonho de infância. Seria como o tio da aeronáutica. Vestiria uma farda para defender a pátria. Estava bem de saúde e se sentia preparado para o serviço militar. Ao se alistar, veio a surpresa. Foi dispensado. No certificado estava escrito que ele era notoriamente incapaz.

Jovino ficou chocado. Durante o alistamento, nada foi falado sobre a hanseníase. Ele não tinha sequelas. Por que foi considerado incapaz? Constatou que todos que se alistavam com o endereço de Itaboraí eram dispensados. A região, conhecida como morada de leprosos, condenava todos os habitantes, independentemente se eram ou não doentes. Ficou sabendo de inúmeros casos de rapazes de Itaboraí que, apesar do esforço, foram barrados nas forças armadas. Mas as barreiras não se limitavam ao serviço militar. Arranjar qualquer emprego fora dali, só omitindo o próprio endereço.

Frustrado, Jovino tocou a vida com os trabalhos que obtinha nos arredores da colônia. Foi copeiro, locutor, auxiliar de enfermagem. Casou-se, teve filhos e passou o resto da vida em Itaboraí. Percebeu que, mesmo com o passar dos anos, o preconceito continuava. Na região, não havia mais nem sinal da hanseníase, todos conseguiam se curar.

O filho de Jovino herdou do pai a vontade de ser militar. Quando completou dezoito anos, os moradores de Itaboraí continuavam sendo dispensados. Dessa vez, o pai não deixou o jovem amargar o mesmo destino. A saída foi mandá-lo para a casa da avó, em Belford Roxo, município da região metropolitana do Rio. Com o novo endereço, o rapaz superou o bloqueio e conseguiu servir ao exército. Se não era possível vencer o preconceito, ao menos dava para driblá-lo.

A cura da hanseníase se tornara incontestável. A medicação eliminava o bacilo que afetava a pele, os nervos, a liberdade e a vida dos portadores. Apesar da lentidão da sociedade em assimilar essa evolução da medicina, não havia como manter preso quem obtivera a cura. Gradativamente, os reabilitados lograram alta e voltaram a ocupar seus antigos espaços. Estava claro que não transmitiam a doença. Porém, embora o medo dos antigos moradores das colônias recuasse, o preconceito, também nocivo, foi se alastrando.

Aliada à cultura de rejeição àquilo que foge dos padrões, a ignorância ditou a exclusão em todos os níveis. Os olhos preconceituosos recriminavam as sequelas, mas quem não carregava as máculas da doença também não se livrava do problema. "Uma vez leproso, sempre leproso", disse certa vez um ex-interno. É como se tivessem sido marcados com o ferro em brasa que identifica o gado.

Nelson Flores conta como foi difícil vencer o preconceito da doença.

Em cada ex-colônia existem histórias de estigma e intolerância. O pior é que elas acontecem ainda hoje, no avançar do século XXI. Na colônia mineira de Santa Isabel circula o relato pelo qual um médico de Belo Horizonte passou após tratar de pacientes que ficaram com sequelas. Ao voltar para casa, sua esposa queimou o jaleco do marido.

Também em Betim, é conhecido o caso da autoescola que evitava ministrar aulas aos ex-hansenianos. Vários deles sofreram com indiretas e olhares discriminatórios por parte dos instrutores.

Nelson Flores, o patriarca da família Flores, de Betim, tem os dedos em garra, em decorrência dos nervos atacados pela hanseníase. Certa vez, ao subir em um ônibus, funcionários da empresa de transporte tentaram impedir seu embarque. Nelson reagiu e respondeu que ninguém atrapalharia sua viagem. E seguiu a estrada como planejado.

— Enfrentar a hanseníase já foi uma coisa muito pesada, mas agora aceitar humilhações é sofrimento duplo. Temos de erguer a cabeça.

Iverlândia e Thiago nunca tiveram a doença, mas sofreram preconceito simplesmente por serem filhos de ex-internos das colônias.

Thiago, filho adotivo de Nelson, que só foi morar com os pais após o fim do isolamento compulsório, aprendeu desde cedo a se esquivar dos olhares discriminatórios. Na quinta série, quando foi estudar no centro de Betim, os pais recomendaram que não dissesse onde morava. Se alguém perguntasse por que Nelson tinha deficiência nas mãos, deveria responder que não sabia. Estranhou os conselhos, mas não os questionou. Até que um dia, chegou em casa com um colega. Com o semblante intrigado, a primeira pergunta do visitante foi se ali era a Santa Isabel. Nesse dia, Thiago entendeu que a visão dos moradores de Betim sobre a colônia não era a de um lugar como outro qualquer. Vista do mundo exterior, a imagem da Santa Isabel diferia completamente da visão dos seus moradores. Thiago sentiu o que era um olhar preconceituoso.

Na Colônia do Prata, no Pará, Iverlândia está cansada de receber "nãos" ao procurar emprego como professora. Estudou e se sente preparada para encarar uma sala de aula. Assim como Thiago, é filha de ex-interno, nunca teve hanseníase e mora em um ex-leprosário. No caso dela, a discriminação foi explícita, clara e objetiva, quase como um golpe fulminante, um tiro à queima-roupa. Aconteceu em Belém. Iverlândia teve o currículo selecionado para entrevista em uma escola. Uma das primeiras perguntas da seleção foi seu endereço. Diante da resposta, o entrevistador disparou:

— Desculpe-me, Iverlândia, mas não posso te contratar. Aqui a gente não seleciona pessoas que moram em colônias.

A jovem não teve forças para argumentar. Saiu depressa da sala, porque não conseguia segurar o choro.

*"Lepra é uma palavra, não é uma moléstia.
Nunca acreditarão que lepra se cura.
Palavra não se cura."*
GRAHAM GREENE

XV

E o Brasil cria uma palavra para curar o medo

Segundo país do mundo em casos de hanseníase, o Brasil é o único com uma nomenclatura própria para a doença. A lepra se tornou hanseníase aqui numa tentativa de acabar com o estigma. Com um nome novo, esperava-se eliminar a imagem das chagas malditas, das sequelas, dos confinamentos compulsórios, do pavor social motivado pela enfermidade e, principalmente, acabar de uma vez por todas com o preconceito.

A partir da década de 1960, médicos e doentes lançaram uma campanha de desmistificação do leproso. Com a possibilidade de cura, a praga da humanidade havia sido derrotada, mas por enquanto, apenas a praga física, não a moral. O peso de ser ou ter sido leproso era mais difícil de suportar do que o tratamento ou a internação. As pessoas precisavam entender que a lepra havia se transformado em doença como tantas outras. Houve consenso, na época, de que o processo passava pela nova denominação.

O leprologista Abrahão Rotberg, renomado na época, encabeçou a campanha. Ao se tornar diretor do Departamento de Profilaxia da Lepra de São Paulo, em 1967, alterou sua denominação para Departamento de Dermatologia Sanitária e, posteriormente, para Divisão de Hansenologia de Dermatologia Sanitária. Também substituiu o termo lepra por hanseníase. Antes, porém, indagou a quarenta pacientes qual nome preferiam, entre hansenose e hanseníase. A maioria escolheu o último, por considerar que a palavra soava de maneira mais agradável.

O nome surgiu porque a bactéria causadora da doença é conhecida como bacilo de Hansen, homenagem ao seu descobridor, o cientista norueguês Gehard Amauer Hansen.

Em 1976, a Portaria nº 165, do Ministério da Saúde, definiu novas formas de tratamento da hanseníase, visando reduzir a mortalidade e o número de sequelados. Incentivava a apresentação voluntária dos doentes, no lugar da compulsoriedade da internação. Porém, o mais revolucionário da portaria não estava nas regras médicas. O governo decidiu adotar a nomenclatura de Rotberg. De acordo com a norma, os documentos oficiais do Ministério da Saúde deveriam eliminar o termo lepra e seus derivados.

Quase vinte anos depois, a regra entra na legislação brasileira. Em 1995, a Lei nº 9.010 proíbe o nome lepra em documentos oficiais da União e dos Estados.

Presidência da República
Casa Civil
Subchefia para Assuntos Jurídicos

LEI N° 9.010, DE 29 DE MARÇO DE 1995.

Dispõe sobre a terminologia oficial relativa à hanseníase e dá outras providências.

O PRESIDENTE DA REPÚBLICA Faço saber que o Congresso Nacional decreta e eu sanciono a seguinte Lei:

Art. 1° O termo "Lepra" e seus derivados não poderão ser utilizados na linguagem empregada nos documentos oficiais da Administração centralizada e descentralizada da União e dos Estados-membros.

Art. 2° Na designação da doença e de seus derivados, far-se-á uso da terminologia oficial constante da relação abaixo:

Terminologia Oficial	Terminologia Substituída
Hanseníase	Lepra
Doente de Hanseníase	Leproso, Doente de Lepra
Hansenologia	Leprologia
Hansenologista	Leprologista
Hansênico	Leprótico
Hansenoide	Leproide
Hansênide	Lépride
Hansenoma	Leproma

Hanseníase Virchoviana	Lepra Lepromotosa
Hanseníase Tuberculoide	Lepra Tuberculoide
Hanseníase Dimorfa	Lepra Dimorfa
Hanseníase Indeterminada	Lepra Indeterminada
Antígeno de Mitsuda	Lepromina
Hospital de Dermatologia Sanitária, de Patologia Tropical ou Similares	Leprosário, Leprocômio

Art. 3º Não terão curso nas repartições dos Governos, da União e dos Estados, quaisquer papéis que não observem a terminologia oficial ora estabelecida, os quais serão imediatamente arquivados, notificando-se a parte.

Art. 4º Esta Lei entra em vigor na data de sua publicação.

Art. 5º Revogam-se as disposições em contrário.

Brasília, 29 de março de 1995; 174º da Independência e 107º da República.

FERNANDO HENRIQUE CARDOSO
Adib Jatene

Profissionais da área de saúde afirmam que a mudança sofreu resistência. Houve pacientes que demonstraram dificuldade de aceitar o novo nome. Recusaram-se a usá-lo. Mesmo entre os médicos houve certa relutância. Justificaram-se com a pouca aceitação dos pacientes à alteração. Lepra todo mundo sabia o que era e buscava tratamento.

Hanseníase parecia algo distante, desconhecido, uma doença nova, sem importância, o que, na opinião de alguns profissionais, atrapalhava a busca por tratamento.

Outro obstáculo: muitos anos depois da mudança, o preconceito continua. Segundo pesquisa da Universidade Federal do Rio de Janeiro (UFRJ), a palavra hanseníase não está totalmente consolidada entre a população brasileira. Faltou mais investimento em divulgação para difundir a inovação. A aceitação e a compreensão são melhores no grupo de entrevistados com maior nível de escolaridade.

Estudo da Faculdade de Medicina de São José do Rio Preto, em São Paulo, também se debruçou sobre o assunto. As pesquisadoras Luana Laís Femina, Ana Cláudia Parra Soler, Susilene Maria Tonessi Nardi e Vânia Del'Arco Paschoal, de enfermagem e terapia ocupacional, entrevistaram doentes ou ex-doentes. Em relação ao nome, 40% dos entrevistados não conheciam a terminologia oficial. Dos que sabiam, ao serem questionados sobre sinônimos para hanseníase, 93,8% lembraram do termo lepra. Outros nomes citados foram gota, pereba, virchoviana, dimorfa e ferida brava.

Daqueles que conheciam o vocábulo lepra, 90% alegaram identificar o preconceito na doença, 63,3% acreditam que a mudança de nome diminuiu o preconceito e 76,7% acham que as pessoas sabem que hanseníase é a antiga lepra. Ao contarem a conhecidos que estavam com hanseníase, 60% dos entrevistados que sabem a antiga terminologia obtiveram como resposta que a doença era a antiga lepra.

Quanto aos próprios sentimentos ao descobrirem que estavam com hanseníase, sabendo que esta era a chamada lepra, 56,8% registraram ter sentido algo negativo, como medo do preconceito, de ser rejeitado, da evolução da moléstia, de futuras deficiências físicas, de não ser curado ou de morrer.

Pouco mais da metade, 52%, disseram que já tinham sido indagados sobre o que era a hanseníase. A resposta foi "uma doença que tem cura", em 26,9% dos casos, 15,4% responderam "uma doença que tem cura e era a antiga lepra", 7,7% "era a antiga lepra", 15,4% não souberam responder e o restante deu explicações assemelhadas a "uma doença que causa manchas, doença na pele e é provocada por uma bactéria".

Os depoentes revelaram ter notado certa dificuldade dos familiares em tocá-los depois de terem conhecimento de que eram hansenianos. Foi o testemunho de 44% deles. Em outros casos, 22% dos pacientes recearam comunicar a situação aos familiares, principalmente por causa da rejeição, justificativa apresentada por 63,6% deles.

Quarenta e seis por cento dos entrevistados tardaram a procurar tratamento. Desses, 52,2% sofreram com a lentidão dos médicos na definição do diagnóstico, 43,5% acreditavam que os sintomas não eram importantes e 4,3% enfrentaram demora no agendamento das consultas pelo SUS (Sistema Único de Saúde).

Dos que trabalham ou trabalhavam, 26,7% tiveram problemas com o emprego. Desses, 66,7% foram afastados, 25% tiveram dificuldades em desempenhar o serviço e 8,3% foram despedidos.

As pesquisadoras concluíram que a adoção do termo hanseníase, além de não ter sido universal, não foi acompanhada de esforço educativo para mudar as atitudes diante da doença. "Apesar da mudança do nome lepra para hanseníase — escreveram —, os pacientes ainda enfrentam preconceitos no seu meio social, pois ainda ocorre a associação com o termo lepra. Existe a dificuldade no entendimento dos conceitos da hanseníase pelos pacientes e pela sociedade, o que pode ser uma das causas do estigma. A deficiência na informação se estende para os aspectos da doença, como forma de transmissão, tratamento, entre outros que alimentam o preconceito."

A substituição da terminologia foi uma das reivindicações do Morhan. Seu vice-coordenador, Artur Custódio, acredita que a mudança foi um passo importante. Entretanto, o fim do preconceito está mais vinculado ao conhecimento da doença e à capacidade do sistema de saúde para tratar o paciente. A deformidade física e as sequelas, frutos do diagnóstico tardio ou de acompanhamento inapropriado, contribuem muito para o estigma. Para eliminar o preconceito, grandes passos seriam agilizar o processo de diagnóstico e ampliar o tratamento, abrangendo mais unidades de saúde, sempre perto de quem precisa.

Acampamento em Bauru (SP). No século XX o número de leprosos nas ruas aumentou. Eles eram expulsos da cidade e, na esperança de conseguir ajuda, acampavam próximos aos grandes centros.

XVI

Mais ignorados que os doentes, só as leis

O isolamento dos leprosos sempre existiu ao longo dos milênios. Mas a ideia de implantar uma estrutura reservada especialmente para eles é recente. Antes, os enfermos tinham de sobreviver sozinhos, morar precariamente em vales, montanhas ou no meio do mato.

No Brasil, os registros dos primeiros casos de lepra são do século XVII, no Rio. No século seguinte, acreditava-se haver algo como 300 doentes no país. O primeiro lugar pensado para abrigar os leprosos foi um asilo no Recife, em 1714. O propósito não era oferecer tratamento, até porque o conhecimento médico era limitado nessa área. Concebeu-se apenas para que os doentes não vagassem pelas ruas. Recebiam um teto e a comida era deixada regularmente em ponto previamente combinado, evitando-se o contato entre enfermos e sãos. Era uma forma de caridade mantida pelos burgueses abastados da região.

Também no século XVIII, pela primeira vez, introduziram-se médicos no isolamento. Deveriam tentar tratar a doença ou, pelo menos, amenizar seus sintomas. Aconteceu no Hospital dos Lázaros, do Rio. "Lázaro" era sinônimo de "leproso", por causa da parábola bíblica que se refere ao mendigo Lázaro que tinha o corpo coberto de chagas. A casa de saúde foi construída quando o então governador-geral do Rio, o Conde de Bobadela, mandou recolher cinquenta e dois doentes em 1741.

Hospital dos Lázaros, no Rio de Janeiro, utilizado pela primeira vez para tratar leprosos em 1741.

O hospital tornou-se referência no início da República. Em 1894, ganhou um laboratório bacteriológico e transformou-se num importante centro de pesquisa. Mantido pela instituição religiosa Irmandade Candelária, a única participação do governo no hospital era dar apoio fiscal, como a isenção de impostos.

No início do século XX, percebeu-se um aumento no número de leprosos nas ruas. Sem ter para onde ir, mesmo expulsos das cidades, acabavam retornando. Pequenos grupos formavam acampamentos perto dos grandes centros, na esperança de conseguir ajuda. Há registros de uma comunidade que se formou na beira da estrada, próximo a Bauru, em São Paulo. Eram aproximadamente oito barracas montadas com pedaços de madeira e lonas brancas. Ali, vivia-se de esmolas ofertadas por viajantes.

Após as duas primeiras décadas do século XX, o Estado tomou para si o cuidado dos leprosos. Antes, em 1915, foi criada a Comissão de Profilaxia da Lepra, com representantes da Associação Médico-Cirúrgica, da Academia Nacional de Medicina e da Sociedade Brasileira de Dermatologia. Durante quatro anos, os médicos discutiram o embrião do que seria a primeira política pública de saúde voltada para o mal de Hansen. Seu relatório final recomendava que o governo adotasse a segregação como forma "mais efetiva" de enfrentamento da lepra. Sugeriu ainda proibir o casamento dos doentes para não gerarem prole e o recolhimento compulsório. Havia o consenso na comunidade de leprologistas que a única medida para enfrentar a lepra era o afastamento definitivo de todos os diagnosticados.

O governo Arthur Bernardes acolheu grande parte das orientações — não a que proibia os casamentos — e publicou a primeira norma sobre a enfermidade. O Decreto-lei nº 16.300, de 1923, instituiu o regulamento do Departamento Nacional de Saúde Pública, que reservava o segundo capítulo para a profilaxia especial da enfermidade.

A Lei determinava que, notificado um caso suspeito, "a autoridade sanitária fará seguir um inspetor para o domicílio do doente a fim de examiná-lo. Se a pessoa notificada negar-se ao exame, será requisitado auxílio da polícia para execução dessa providência e para o respectivo isolamento, uma vez o diagnóstico confirmado". Ainda preconizava como deveria ser o local do confinamento: "as colônias agrícolas, sempre preferíveis, deverão ter bastante amplitude para nelas se poder estabelecer uma verdadeira vila de leprosos. Deverão ter hospitais".

Para solucionar a questão dos filhos dos leprosos, estabelecia-se que as crianças saudáveis de pais com a doença deveriam ser levadas a "seções especiais, anexas às áreas de pessoas sãs do estabelecimento, para onde serão transportadas logo depois de nascidas. Essas mesmas crianças não deverão ser nutridas ao seio de uma ama e não serão amamentadas pela própria mãe se esta for leprosa".

Alguns artigos traziam regras crivadas de preconceito e desconhecimento sobre a doença, como o 148 ao determinar que "utensílios e objetos manuseados pelos leprosos serão destinados ao seu uso exclusivo e, em hipótese alguma, serão objeto de venda, troca ou dádiva à pessoa sã". Ou o 165. Este acentuava que "o domicílio de onde sair um leproso ou um cadáver de leproso será desinfetado e expurgado antes de servir para outrem, assim como roupas e objetos de uso do doente que não puderem ser incinerados".

Nos primeiros anos do Decreto praticamente não houve repasse de recursos públicos para colocar em prática a letra da lei. Leprosários continuavam sendo construídos e mantidos por instituições privadas, pela Igreja ou empresários. No início dos anos 1930, existiam no Brasil catorze colônias, das quais apenas cinco tinham hospitais e tratamento mínimo para os doentes. Localizavam-se no Rio, Minas Gerais, Mato Grosso, Bahia e Pernambuco. Três colônias não dispunham de qualquer estrutura hospitalar. Situavam-se no Pará, Rio Grande do Norte e Paraná. E havia ainda mais seis asilos para leprosos nos estados do Acre, Amazonas, Pará, Ceará, São Paulo e Rio de Janeiro.

Com a chegada de Getúlio Vargas ao poder, surgiram, efetivamente, mais investimentos para instalação de leprosários e a melhoria dos já existentes. O presidente criou o Ministério da Educação e Saúde Pública. O ministro Gustavo Capanema, a pedido de Vargas, colocou a doença como prioridade. Em 1935, foi elaborado o Plano Nacional de Combate à Lepra, com enfoque na construção do tripé de prevenção da moléstia: colônia para os contaminados, dispensário para pessoas sob observação e preventório para os filhos sadios.

Sob a administração de Capanema, inaugurou-se no Rio um instituto de leprologia, destinado a estudos avançados. Em todo o mundo, leprologistas esforçavam-se na busca por um tratamento eficiente e que oferecesse esperança de cura.

Até então, o único fármaco utilizado para amenizar as chagas era o óleo de chaulmoogra (*Hydnocarpus wightiana*), normalmente extraído das sementes de uma árvore originária da Índia, de mesmo nome. No Brasil, encontrou-se outra árvore de onde era possível extrair sementes cujo óleo tinha as mesmas propriedades, a sapucainha (*Carpotroche brasiliensis*), conhecida como chaulmoogra brasileira.

Atribuía-se ao óleo — que tem de especial dois ácidos, o chaulmoogrico e o hydnocárpico — a destruição da camada ácido-resistente do bacilo de Hansen. Era aplicado diretamente nas úlceras, ingerido na forma de cápsulas ou administrado por meio de injeções. Não demonstrava grandes resultados no controle dos sintomas e muito menos eliminava os bacilos.

Os anos 1940 foram marcados por alguns fatos relevantes no mundo: o fim da Segunda Guerra, a assinatura da Carta das Nações Unidas, que deu origem à ONU, a criação do estado de Israel e, pela primeira vez na história, falou-se em cura da lepra. Em 1943, o médico norte-americano Guy Faget testou o uso de substâncias derivadas das sulfonas em pessoas com lepra, isoladas em uma colônia do estado da Louisiana, nos Estados Unidos. As sulfas, ou sulfonas, são produzidas sinteticamente para o tratamento de várias doenças oriundas de micro-organismos. Os resultados foram surpreendentes. Faget observou melhora no quadro da maioria dos pacientes e a desaparição do bacilo em alguns deles.

No ano seguinte, o leprologista Lauro Lima fez o mesmo teste com pessoas internadas no hospital-colônia Padre Bento, em São Paulo. Chegou às mesmas conclusões de Faget.

Em 1946, realizou-se a II Conferência Pan-Americana de Lepra, no Rio de Janeiro. O ápice do evento foi a apresentação de Faget. Ele demonstrou à comunidade médica internacional o resultado de sua pesquisa e afirmou que as sulfonas deveriam ser consideradas, a partir de então, o melhor tratamento para a doença. Lauro Lima também apresentou seu experimento de São Paulo. No caso brasileiro, 93% dos pacientes apontaram melhora. Levantou-se, então, a possibilidade de cura da lepra, o que seria referendado posteriormente em outros congressos médicos.

A conferência ainda serviu para definir a nova classificação da lepra. A enfermidade passou a ser dividida nas formas lepromatosa, quando é contagiante, tuberculoide, ou não-contagiante, e incaracterística, nos casos que poderiam evoluir para um dos dois tipos anteriores.

Com o sucesso das sulfonas e a descoberta de formas não passíveis de transmissão, questionou-se a política de isolamento compulsório. A doença não recuou após quinze anos de implantação do Plano Nacional de Lepra, que promoveu a construção e a melhoria das colônias para a redução dos infectados. O número de leprosos não parou de crescer e o de fujões também. Muitos escapavam da prisão perpétua nos leprosários.

Inicialmente, o governo ignorou a revolução das sulfas e editou a Lei n° 610, de 1949, que fixava normas para a prevenção da lepra, uniformizando a campanha contra a doença. A palavra de ordem continuava sendo a segregação. Estabelecia a obrigatoriedade de notificar os casos suspeitos, garantindo sigilo ao autor da notificação. A novidade era a aceitação da nova classificação da lepra. O confinamento passou a ser obrigatório para os casos contagiantes e para os que poderiam evoluir para uma provável forma de contágio. Porém, qualquer um podia ser internado, caso "necessitasse". Mesmo aqueles que não oferecessem perigo de transmissão, mas "fossem portadores de estigmas impressionantes de lepra", ou "não tivessem condições de buscar tratamento", também seguiam para as colônias.

Com relação aos filhos de leprosos, a regra continuava parecida: "todo recém-nascido, filho de doente de lepra, será compulsória e imediatamente afastado da convivência dos pais. Os filhos de pais leprosos e todos os menores que convivam com leprosos serão assistidos em meio familiar ou em preventórios especiais".

O otimismo com o tratamento das sulfas tomou conta do meio político em 1950, com a publicação da Lei n° 1.045, que dispunha sobre a concessão de alta. Pela primeira vez, falava-se em libertar os leprosos do cativeiro. "Cessados os motivos determinantes do isolamento, será permitida a transferência para dispensários, onde deverão continuar sob tratamento e vigilância." No dispensário, os pacientes eram submetidos a uma bateria de exames e à análise de junta médica formada por três leprologistas. Caso todos os resultados fossem negativos, era possível obter alta provisória, ainda vigiada, para depois alcançar a definitiva.

Na prática, a lei transformou-se em letra morta. Foram raros os casos de alta definitiva. O estigma não permitia a libertação dos encarcerados por imposição do Estado e da sociedade. Além do mais, a eficácia das sulfonas enfrentou críticas. Falava-se, então, que nem todos os casos conseguiam a cura definitiva. Questionava-se a possibilidade de o bacilo não ser eliminado, ficando apenas inativo. Cogitava-se, ainda, a existência de pacientes inteiramente resistentes ao medicamento. Contudo, era sabido que as pessoas submetidas à terapia das sulfas perdiam, com o tempo, a condição de transmissores. Percebeu-se também que a maioria da população apresentava resistência natural ao bacilo, motivo suficiente para acabar com a política de isolamento compulsório, o que não aconteceu.

A Organização Mundial de Saúde enviou ao Brasil uma comissão de especialistas em lepra, em 1952. O grupo recomendou que não mais se isolassem os leprosos compulsoriamente, nem se separassem os filhos dos pais doentes. O governo brasileiro ratificou as orientações.

Em 1953, o VI Congresso Internacional de Leprologia, em Madri, manifestou-se pelo abandono do afastamento obrigatório dos doentes, além de tornar a internação mais seletiva e enfatizar o tratamento ambulatorial. Recomendava-se, também, que os filhos de leprosos fossem, preferencialmente, criados pela família ou em instituições gerais para a proteção das crianças, não em preventórios. Já o VII Congresso Internacional, em Tóquio, em 1958, combateu duramente o isolamento, considerado anacrônico. Tudo em vão. O Brasil continuava isolando.

Finalmente, em 1962, uma nova política de controle da lepra foi implementada no Brasil, por meio do Decreto n° 968. A norma não falava mais em isolamento compulsório, e sim em direito de movimentação dos doentes. De acordo com o texto, permaneceriam nos leprosários aqueles que não tivessem condições financeiras ou para onde ir. Ou ainda os que se recusassem a seguir corretamente o tratamento. Para variar, a lei não foi colocada em prática no país inteiro.

Nos anos 1970, a Organização Mundial da Saúde recomendou o tratamento mais eficaz para a cura da lepra, por meio da poliquimioterapia, método usado até hoje. Com a medicação testada e aprovada no Brasil, a Portaria nº 165, do Ministério da Saúde, de 1976, abriu nova fase de combate à lepra, pela primeira vez oficialmente chamada de hanseníase. A norma incentivava o comparecimento voluntário dos doentes aos hospitais. As internações, se necessárias, deveriam acontecer de forma temporária. A lei deixava claro que o Estado tinha o compromisso de preservar a unidade familiar, abolindo o afastamento entre pais e filhos.

No que tange à legislação, tudo estava consumado. Só faltava mesmo o pulso forte do Estado para acabar com os isolamentos. Entretanto, os últimos prisioneiros só foram libertados em 1986.

Na colônia paraense de Marituba, conheci Geraldo Moura, voluntário da equipe jurídica do Morhan. Geraldo foi interno da colônia. Estudioso da causa, dedica boa parte da vida à defesa de quem viveu as consequências devastadoras de uma política de saúde equivocada.

Aproveitei o encontro para tirar uma dúvida: por que o Estado demorou tanto tempo para terminar com o isolamento forçado? Não havia lógica em sustentar estabelecimentos gigantescos e onerosos como as colônias, se não eram eficientes. Ademais, já existia tratamento que alcançava a cura. O que levava o governo a desrespeitar convenções internacionais e a própria legislação do país para manter gente enclausurada sem necessidade?

— Não existe apenas um motivo. Há uma série de explicações que, juntas, paralisaram a ação do governo — respondeu.

Geraldo explicou que, com o advento das sulfonas, o Ministério da Saúde começou a divulgar que o leproso poderia ser curado ou, pelo menos, ter a progressão da doença impedida. Com isso, formaram-se as comissões de alta com profissionais da saúde que visitavam os leprosários. Aqueles pacientes que apresentavam resultados negativos, após se submeterem a doze exames seguidos, passavam pelo crivo da comissão para saber se poderiam ou não ganhar a alforria das colônias.

Geraldo foi interno da colônia e hoje se dedica a defender os que sofrem as consequências das decisões tomadas na época das internações.

A passagem das comissões pelos leprosários não deu tempo sequer de ser comemorada. Poucos pacientes deixaram a reclusão. Sem explicação, pararam de visitar as colônias.

A rápida atuação das comissões de alta aconteceu entre o fim dos anos 1940 e o início dos 1950, quando o tratamento fora difundido pelo mundo. A extinção dos grupos deu-se quando Getúlio Vargas voltou ao poder. Nos quinze anos do primeiro mandato do presidente, o carro-chefe de sua política de saúde era a construção e o melhoramento das colônias de leprosos. Depois de altos investimentos nessas obras, não era possível desmantelar tudo do dia para a noite e começar novos gastos com remédios caros, vindos de fora do país. Para não ruir a política de leprosários, Getúlio optou pela manutenção do velho sistema, segundo interpretação de Geraldo.

Outro ponto a ser considerado é que os primeiros pacientes a conseguirem alta foram muito mal recebidos pela sociedade. Tratados como inferiores e discriminados, não alcançavam a reinserção no mercado de trabalho. A rejeição não foi enfrentada pelo Estado. Não houve esclarecimento sobre o novo cenário. Mesmo colocando-se em dúvida a eficácia do tratamento para a cura definitiva, a população não ficou sabendo que os libertos não mais transmitiam a doença. O desabono social diante das altas era mais um motivo para não dar continuidade ao processo de soltura.

Todas essas explicações para a perpetuação do isolamento compulsório não foram dadas de forma oficial. O governo, então, recusava-se a abordar abertamente o assunto. Geraldo foi entender os fatos à medida que o tempo foi passando, com a vivência na colônia e com os anos de estudo.

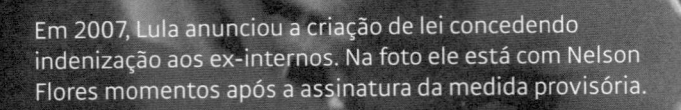

Em 2007, Lula anunciou a criação de lei concedendo indenização aos ex-internos. Na foto ele está com Nelson Flores momentos após a assinatura da medida provisória.

XVII

Todo erro exige uma reparação

O Estado errou ao manter o isolamento compulsório depois da década de 1940. Errou ao continuar separando as famílias, principalmente ao levar as crianças para serem criadas nos preventórios, longe dos pais. Com a quebra das correntes dos leprosários nos anos 1980, os ex-internos se mobilizaram reivindicando o reconhecimento do Estado em relação às falhas cometidas.

Foram vinte anos de debates, palestras, campanhas e um trabalho de sensibilização dos políticos sobre a necessidade de retratação do Estado perante as vítimas da política equivocada. Até que o governo decidiu assumir a reparação a todos os que viveram na condição de marginalidade imposta pelas colônias.

Em 2007, o então presidente Luiz Inácio Lula da Silva recebeu um grupo de ex-internos. Uma caravana com 200 deles, vindos de todo o país, chegou ao Palácio do Planalto para cobrar do presidente a resposta a uma reivindicação antiga: o direito à indenização para os segregados compulsoriamente nos leprosários. Lula prometeu um retorno rápido. Um mês depois, ele anunciou a criação de uma lei concedendo indenização aos ex-internos. O Brasil dava o primeiro passo para resgatar a dívida com as vítimas das colônias. Tornava-se o segundo país no mundo a reconhecer o direito à reparação pelos danos causados. Antes disso, apenas o Japão havia concedido indenizações.

A Medida Provisória nº 373, então proposta, estabeleceu pensão mensal e vitalícia às pessoas submetidas à internação obrigatória. Na época, o valor era de R$ 750,00, quantia que tem passado por correções, aumentando a cada ano. O benefício é destinado somente aos isolados de forma compulsória até o dia 31 de dezembro de 1986.

No dia da assinatura da medida, a caravana dos ex-internos voltou a Brasília. Era 24 de maio de 2007. O próprio Lula presidiu o evento e assinou a norma. Usou uma caneta Montblanc para oficializar a MP. Um dos integrantes da caravana, Cristiano Torres, pediu-lhe a caneta para servir como objeto de exposição em um futuro museu da história da hanseníase no Brasil, projeto do Morhan. Lula entregou a caneta e abriu o microfone para quem quisesse falar.

© Thiago Flores

Orgulhosos, Nelson Flores e Cristiano Torres com a caneta que Lula usou para assinar a norma.

Empolgado na primeira fileira da cerimônia, o popular Pirelli, da colônia cearense Antônio Diogo. Na hora dos discursos, ele logo levantou o braço. Lula entregou-lhe o microfone e ficou em pé, em frente ao orador, para acompanhar a fala emocionada.

— Em nome de todos os companheiros que aqui não puderam estar presentes, abandonados por seus familiares, não abandonados por Deus, que sonham com essa realidade que acabou de se concretizar, estou aqui para ver a assinatura do grande projeto que vai trazer sim, presidente, grandes benefícios para todos nós.

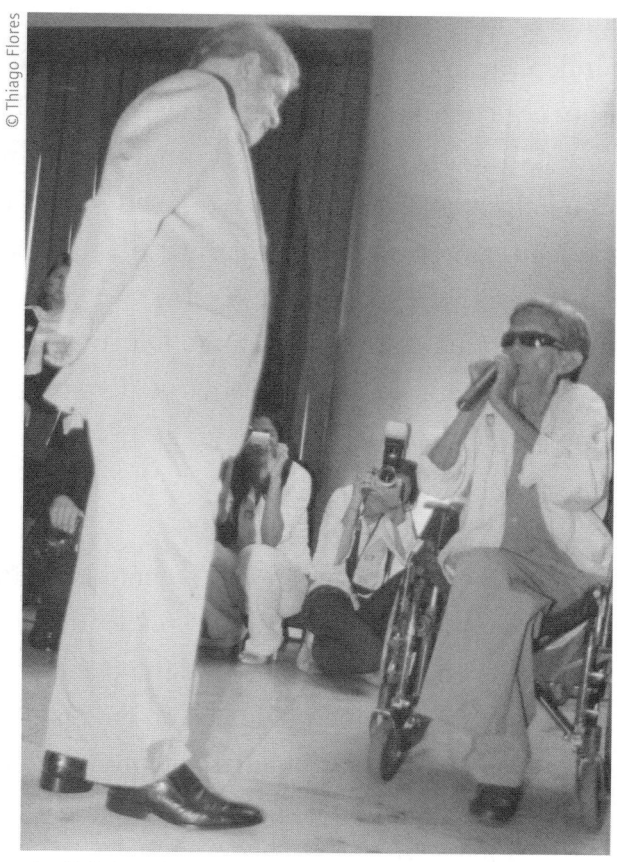

Pirelli foi o primeiro a discursar após a assinatura. Lula ficou à sua frente.

Dois anos depois de encaminhar seu pedido de pensão, Pirelli recebeu um telefonema de Artur Custódio. O pedido fora deferido. Quando o dinheiro entrou na sua conta pela primeira vez, mal acreditou. Recebeu R$ 20.345,00. O valor era retroativo à data da publicação da MP 373, no dia 25 de maio de 2007.

Sua primeira providência foi liquidar uma dívida que lhe tirava o sono. Eram R$ 7 mil. Em seguida, comprou a sonhada casa própria, pertinho da colônia, por R$ 11 mil. O restante deu ao filho. Depois, com a renda mensal, investiu na casa. E nas tantas viagens que fez até 2015.

Outros ex-internos deram ao dinheiro encaminhamento semelhante ao de Pirelli. Na vida do antigo companheiro de colônia Aldenor dos Santos a indenização também provocou mudanças. Seus olhos brilham ao listar, com orgulho, tudo o que fez com a quantia inicial:

— Paguei umas dívidas, comprei uma casinha para a minha filha, que vivia de aluguel, e comprei duas coisas que sempre quis, mas até então não tinha conseguido adquirir: um armário e um aparelho de rádio só pra mim.

Aldenor ainda mora na ex-colônia Antônio Diogo. Não tem mais condições de trabalhar. Gosta de comer bem e de passar as tardes jogando dominó com os amigos.

A MP 373 passou pelo crivo da Câmara dos Deputados e do Senado Federal. Foi regulamentada pelo Decreto nº 6.168, de 24 de julho de 2007, que estabeleceu, de fato, como se daria o acesso à pensão especial e como seria o procedimento de pedido da quantia mensal. A proposta foi aprovada nas duas casas quase quatro meses depois da edição da MP e publicada como a Lei nº 11.520, no dia 18 de setembro de 2007. Fixou-se que o valor inicial e mensal de R$ 750,00 deveria ser pago pelo INSS, por meio de um cartão magnético. Enfatizou a obrigação do Ministério da Saúde de garantir aos beneficiários o fornecimento de equipamentos como órteses e próteses. Essas regras entraram para a legislação brasileira com o seguinte texto:

Presidência da República
Casa Civil Subchefia para Assuntos Jurídicos

LEI Nº 11.520, DE 18 DE SETEMBRO DE 2007.

<u>Conversão da Medida Provisória nº 373, de 2007</u>

Dispõe sobre a concessão de pensão especial às pessoas atingidas pela hanseníase que foram submetidas a isolamento e internação compulsórios.

Faço saber que o PRESIDENTE DA REPÚBLICA adotou a Medida Provisória nº 373, de 2007, que o Congresso Nacional aprovou, e eu, Renan Calheiros, Presidente da Mesa do Congresso Nacional, para os efeitos do disposto no art. 62 da Constituição Federal, com a redação dada pela Emenda Constitucional nº 32, combinado com o art. 12 da Resolução nº 1, de 2002-CN, promulgo a seguinte Lei:

Art. 1º Fica o Poder Executivo autorizado a conceder pensão especial, mensal, vitalícia e intransferível, às pessoas atingidas pela hanseníase e que foram submetidas a isolamento e internação compulsórios em hospitais-colônia, até 31 de dezembro de 1986, que a requererem, a título de indenização especial, correspondente a R$ 750,00 (setecentos e cinquenta reais).

§ 1º A pensão especial de que trata o *caput* é personalíssima, não sendo transmissível a dependentes e herdeiros, e será devida a partir da entrada em vigor desta Lei.

§ 2º O valor da pensão especial será reajustado anualmente, conforme os índices concedidos aos benefícios de valor superior ao piso do Regime Geral de Previdência Social.

§ 3º O requerimento referido no *caput* será endereçado ao Secretário Especial dos Direitos Humanos da Presidência da República, nos termos do regulamento.

§ 4º Caberá ao Instituto Nacional do Seguro Social — INSS — o processamento, a manutenção e o pagamento da pensão, observado o art. 6º.

Art. 2º A pensão de que trata o art. 1º será concedida por meio de ato do Secretário Especial dos Direitos Humanos da Presidência da República, após parecer da Comissão referida no § 1º.

§ 1º Fica criada a Comissão Interministerial de Avaliação, com a atribuição de emitir parecer prévio sobre os requerimentos formulados com base no art. 1º, cuja composição, organização e funcionamento serão definidos em regulamento.

§ 2º Para a comprovação da situação do requerente, será admitida a ampla produção de prova documental e testemunhal, e, caso necessário, prova pericial.

§ 3º Na realização de suas atividades, a Comissão poderá promover as diligências que julgar convenientes, inclusive solicitar apoio técnico, documentos, pareceres e informações de órgãos da administração pública, assim como colher depoimentos de terceiros.

§ 4º As despesas referentes a diárias e passagens dos membros da Comissão correrão à conta das dotações orçamentárias dos órgãos a que pertencerem.

Art. 3º A pensão especial de que trata esta Lei, ressalvado o direito à opção, não é acumulável com indenizações que a União venha a pagar decorrentes de responsabilização civil sobre os mesmos fatos.

Parágrafo único. O recebimento da pensão especial não impede a fruição de qualquer benefício previdenciário.

Art. 4º O Ministério da Saúde, em articulação com os sistemas de saúde dos estados e municípios, implementará ações específicas em favor dos beneficiários da pensão especial de que trata esta Lei, voltadas à garantia de fornecimento de órteses, próteses e demais ajudas técnicas, bem como na realização de intervenções cirúrgicas e assistência à saúde por meio do Sistema Único de Saúde — SUS.

Art. 5º O Ministério da Saúde, o INSS e a Secretaria Especial dos Direitos Humanos da Presidência da República poderão celebrar convênios, acordos, ajustes ou outros instrumentos que objetivem a cooperação com órgãos da administração pública e entidades privadas sem fins lucrativos, a fim de dar cumprimento ao disposto nesta Lei.

Art. 6º As despesas decorrentes desta Lei correrão à conta do Tesouro Nacional e constarão de programação orçamentária específica no orçamento do Ministério da Previdência Social.

Art. 7º Esta Lei entra em vigor na data de sua publicação.

Congresso Nacional, em 18 de setembro de 2007; 186º da Independência e 119º da República.

Senador RENAN CALHEIROS
Presidente da Mesa do Congresso Nacional

Francisco Augusto Vieira Neves, mais conhecido como Bacurau, diagnosticado com hanseníase aos seis anos de idade, lutou pelas vítimas da hanseníase até o fim da vida.

XVIII

Quando a dor o torna forte

Francisco Augusto Vieira Nunes nasceu no dia 9 de dezembro de 1939, na pequena Manicoré, no Amazonas. O pai, João Monteiro Nunes, descendente de portugueses, foi parar no meio da Amazônia atraído pelo comércio da borracha. Saiu do Sudeste e pegou uma embarcação, o único meio de transporte que havia na época para desbravar a floresta. Encontrou uma cidade formada, cheia de aventureiros como ele. Acabou ganhando a vida em outros ramos. Cumpria jornada dupla: abriu uma padaria e era policial.

Francisco foi o oitavo herdeiro de João Nunes, pai de onze filhos. Dois deles, Janarí e Maria Neide, com a primeira mulher. Viúvo, casou-se novamente com a mãe de Augusto, Elvira Vieira. O casal gerou nove filhos: Raimundo, José Lázaro, Maria Lúcia, Terezinha, Pedro, Francisco, o protagonista dessa história, Ada do Carmo, Maria das Graças e Raimundo Nonato.

Aos cinco anos de idade, Francisco tinha infância animada. Gostava de brincar na rua. Antes de completar seis anos, desatou-se o drama, seu e de sua família. Apareceram manchas estranhas no seu corpo. O que mais chamou a atenção foi a mãozinha esquerda sempre inchada, sintoma da lepra do tipo virchowiana, forma contagiante e grave. Não se sabe como Augusto contraiu a doença. Contudo, não era de se estranhar crianças doentes naquela época em uma região que praticamente não contava com saneamento básico e quase não tinha assistência médica.

Os habitantes de Manicoré ficaram incomodados com a presença do garoto com sintomas de lepra. Apesar de não haver certeza do diagnóstico, devido à falta de assistência médica, Francisco teve de se enclausurar em casa. Deixou a escola, porque o diretor não aceitou matricular um aluno capaz de transmitir uma possível doença grave ao restante da turma. Os irmãos de Francisco sofreram *bullying* e ficaram isolados dos colegas.

Graças à ajuda dos irmãos mais velhos, o menino conseguiu se alfabetizar. Enquanto estavam na escola, Francisco ficava em casa solitário, contando as horas para o retorno dos demais. Não colocava nem a cabeça para fora da janela. Era praticamente uma prisão domiciliar.

Os pais do garoto mal conseguiam dormir. Tinham pavor de pensar na probabilidade de Francisco ser conduzido para o hospital-colônia, em Manaus, na conhecida "lancha do governo", uma canoa presa a um barco que atravessava os rios da Amazônia recolhendo leprosos.

Não teve jeito. Os moradores da cidade denunciaram a situação. Quando os Nunes menos esperavam a polícia sanitária bateu à porta. O pai desesperou-se. Agarrou o menino, empunhou uma faca e ameaçou os oficiais, que foram embora e abafaram o episódio. Mas por pouco tempo.

Certo dia, cientes de que João Nunes viajara, os policiais voltaram. Dessa vez, só sairiam de lá com sua presa. Arquitetaram um plano. Com as características físicas da criança anotadas, agiriam com rapidez. Entrariam e pegariam à força imediatamente o garoto de acordo com a descrição passada pela comunidade. Assim foi feito. O único problema é que, na pressa, cometeram um engano. Levaram Pedro, um dos irmãos de Francisco. Nunca mais a família teve notícia do paradeiro do menino.

A vida em Manicoré tornou-se um fardo pesado demais. Desesperada com o sumiço de Pedro e temendo por Francisco, Elvira pegou o filho doente e seguiu para Porto Velho, em Rondônia, em busca da ajuda de parentes. Tentaram encontrar um tratamento para o garoto e até conseguiram matriculá-lo em uma escola. Por pouco tempo. Quando a professora chamou Francisco ao quadro, reparou que a mão do garoto estava muito inchada. Chamou a ambulância para levá-lo ao hospital. Elvira só soube de tudo bem mais tarde. Ao ser examinado por especialistas, chegou-se ao tão temido diagnóstico: lepra. A expulsão da escola foi automática. Mais uma vez, arrumou as malas e saiu da cidade, tentando escapar da tragédia imposta pela doença. Voltou a Manicoré para junto do marido e dos outros filhos.

Ao chegar, a aflição de Elvira só aumentou. João perdera os clientes da padaria. E fora demitido da delegacia de polícia. Tudo reflexo do medo e do preconceito. Vizinhos evitavam se aproximar da família e da casa para não se infectarem. O pai começou a fazer bicos, mas não conseguia dinheiro para sustentar as crianças. Elvira começou a lavar roupa para fora.

O prefeito descobriu que o filho doente dos Nunes estava de volta. Dessa vez, decidiu não recorrer à polícia sanitária, talvez por pena ao saber da história do desaparecimento de Pedro. Determinou que o menino "leproso" ficasse trancado em casa vinte e quatro horas por dia. Caso a regra fosse descumprida, os pais seriam presos. Também mandou colocar uma placa na frente da casa com a palavra *Eternitet*, que significa que aquele lugar está condenado para toda a eternidade.

Os Nunes entenderam o que era passar necessidade. Três filhas pequenas morreram por carência alimentar: Terezinha, de seis anos; Maria Lúcia, de quatro; e Maria das Graças, com menos de um ano. João trabalhou duro até a morte para evitar a destruição total da família. Roçou quintais, transportou carga no porto e lidou com a terra. Aos sessenta anos, depois de muito esforço físico e com a alimentação precária, o corpo não resistiu.

A morte de João fez Elvira voltar a Porto Velho para pedir socorro aos parentes. Eles exigiram a internação de Francisco em uma colônia. Em 1953, aos treze anos, o menino seguiu para o isolamento na colônia Jayme Aben-Athar. O contato com a mãe e os irmãos se limitou a raras visitas através de um parlatório de vidro.

Foi no leprosário que o jovem ganhou o nome com que ficou conhecido no Brasil afora: Bacurau. O autor de seu segundo batismo foi o colega de quarto Odrado Arruda Lacerda. Era um quarentão que dividia o dormitório com aquele adolescente assustado. Para animá-lo, contava histórias sobre Manicoré, a cidade natal de Bacurau, que mal tivera oportunidade de conhecer porque era obrigado a viver trancafiado. O parceiro dizia que os tripulantes das embarcações que costeavam Manicoré passavam gritando no meio do rio que os moradores dali eram "um bando de bacuraus", pequena ave comum na região. O apelido pegou ligeiro.

Em 1961, aos vinte e um anos, Bacurau foi transferido para a colônia acreana de Souza Araújo, em Rio Branco, cidade onde o irmão Raimundo morava. O espírito de liderança começava a desabrochar. Bacurau foi eleito prefeito da colônia. Incentivou a educação das crianças e a alfabetização dos adultos. Esforçou-se para acabar com a mentalidade de que os internos eram uns "coitados". Lutou contra medidas discriminatórias da diretoria do leprosário.

Na colônia, casou-se com Zenaide Araújo. Ela o ajudou na missão à frente da prefeitura. O casamento durou apenas cinco anos. Por causa da separação, teve de renunciar ao cargo. Essa era a regra do regimento interno da Souza Araújo. Mesmo com a renúncia, continuou sendo o porta-voz dos internos perante a administração. Foi trabalhar na enfermaria. Envolveu-se, ainda, com a educação de adultos, por meio do Movimento Brasileiro de Alfabetização, o Mobral. Tornou-se professor.

Com trinta e sete anos de idade, em 1976, diante do cenário de mudanças na legislação e com a campanha pelo fim do isolamento compulsório, Bacurau livrou-se da reclusão. Mudou-se para um bairro pobre de Rio Branco. Na época, estava se relacionando com uma colega de confinamento, Tereza Prudêncio. Ela não tinha para onde ir. Fatalmente continuaria morando na colônia. Como Bacurau conseguiu uma casinha, com a ajuda do irmão Raimundo, resolveu convidar a companheira para juntar-se a ele. Tereza foi. O novo lar era precário. Ficava numa várzea afastada do centro. Porém, os dois não ligavam para isso. Era janeiro de 1977, a vida ganhou novo colorido com a possibilidade de viver em sociedade, e o casal nunca mais se desgrudou.

Os pés e as mãos deformados não impediram Bacurau de trabalhar para manter Tereza e os cinco filhos que ela teve em outro casamento. Todos o consideravam como pai. Bacurau continuou sendo a liderança entre os ex-colegas, sempre preocupado em ajudar. Chegou a abrigar nove pessoas em sua casa.

Quando seu irmão Raimundo criticou a sujeira do velho carrinho de Bacurau, ele retrucou que não tinha dinheiro para mandar lavá-lo. Raimundo, então, prontificou-se para fazer o trabalho. Enquanto esfregava a lataria, viu uma cena inusitada. Um casal apareceu à porta. A mulher estava grávida e o homem, desempregado. Alguém dissera que Bacurau poderia ajudá-los. Rapidamente, Bacurau deu-lhes um cheque com valor suficiente para que comessem durante um mês. E ainda lhes disse que, se precisassem de mais alguma coisa, podiam voltar. O irmão, então, perguntou como ele tinha tanto dinheiro para dar e não tinha para lavar o carro. Bacurau respondeu que sempre tinha um dinheirinho para ajudar as pessoas. O casal reapareceu tempos depois, devolveu a quantia e o chamou para ser padrinho do filho.

Com veia artística aguçada, Bacurau compôs diversas músicas, inclusive lapinhas conhecidas pelos católicos. Ele é o autor da "Lapinha da Mata". Até hoje nos festejos de Natal, principalmente no interior do país, não pode faltar a canção que diz assim:

Um dia numa lapinha
Um grande caso se deu
Um garotinho bacana
De uma virgem nasceu,
Aqui, bem longe, bem longe,
Bem no meio da mata,
Tem lugar pra você, Jesus,
Na minha pobre barraca.

A minha mesa é pobre,
Só tem feijão, água e sal,
Mas tem lugar pra você, Jesus,
Na noite do seu Natal.

O garotinho bacana
Trouxe uma grande missão,
Libertar seus irmãozinhos,
De uma grande prisão,

A minha barraca é cheinha,
De filhos pra sustentar,
Mas ainda tem pra você, Jesus,
Uma vaguinha em meu lar.

Meu leito é uma rede velha
Armada no canto da sala,
Mas tem lugar pra você, Jesus,
Na minha rede remendada.

Em 1988, em meio aos conflitos entre fazendeiros e seringueiros no Acre, mesmo ano da morte do líder Chico Mendes, Bacurau venceu o Festival Acreano de Música Popular com a composição "João Seringueiro".

Na densa floresta,
Vai um seringueiro,
Cristo Seringueiro
Seringa cortar
E corta seguro,
A mão calejada
Da planta amada,
Faz vida nascer
E vem a esperança,
Ressurge a abonança
Com Deus faz aliança.

João Seringueiro
Trabalha o ano inteiro
No meio da mata

Pra vida ganhar
Quando é fim de ano
Na vila chegando
Com roupa de missa
João vai farrear.

Em 1978, Bacurau lançou o livro À *margem da vida: num lepro-sário do Acre*. Integrou a coleção Prosadores do Mobral, patrocinada pelo Ministério da Educação, que resultou no livro *Chico Boi*. O lançamento aconteceu em Manicoré, palco da tragédia familiar vivida por Bacurau. Comentou, na ocasião, que ficou chocado com a ironia de ter sido tão bem recebido, cheio de honrarias e homenagens, na cidade que o rejeitou e destruiu sua família. As mesmas pessoas que decretaram sua prisão dentro da própria casa o saudaram alegres, com abraços e felicitações.

Sem conseguir andar direito por causa de complicações nos pés, provocadas pela hanseníase, Bacurau mudou-se para São Paulo. Submeteu-se a cirurgia reparatória nos tendões e nervos e seguiu um tratamento de fisioterapia, que teve bons resultados. Na recuperação pós-cirúrgica, foi repreendido com agressividade por uma enfermeira, porque estava sem camisa. Interpretou a atitude como pura discriminação. Resolveu que era preciso fundar um movimento para extinguir o preconceito contra os atingidos pela hanseníase.

Em 1980, juntou-se aos acreanos Manoel Ferreira, o Cachoeira, que foi seu aluno na Colônia Souza Araújo; e Nélio Ribeiro, de apenas quinze anos. Os dois também estavam no hospital paulistano. Com a ajuda da "Turma do Norte", que foi crescendo dentro da instituição, Bacurau escreveu e discutiu uma carta programa do futuro movimento, com o título "O ponto de vista do hanseniano sobre sua reintegração".

Arquivo Morhan

No Casarão, "Bacurau" lança seu "Chico Boi"

O líder nacional do MORHAN — Movimento de Reintegração do Hanseniano, Bacurau, relança hoje o seu livro "Chico Boi", editado em 1978. A noite de autógrafos será no restaurante "O Casarão", a partir das 20 horas.

O apelido "Bacurau", para Francisco Augusto Vieira, origina-se de um pássaro muito popular em sua terra ,o município de Manicoré, no Amazonas. Sofrendo de hanseníase desde a infância, ele não pôde frequentar as escolas normais, restando-lhe como único caminho para ter uma formação cultural ,o autodidatismo. É autor de outro livro, cuja edição pela Editora Vozes já está esgotada, "A Margem da Vida". Cantor e compositor de músicas religiosas, Bacurau é hoje professor primário.

Na sua luta contra o preconceito social, resultou na criação do MORHAN, do qual Bacurau foi um dos fundadores. Hoje a entidade está consolidada a nível nacional, com delegacias em vinte Estados da Federação. A experiência da luta social contra a opressão do líder hanseniano, desenvolveu-lhe um espírito crítico da sociedade levando-o a lançar-se candidato a deputado federal constituinte para as eleições de novembro próximo, pelo Partido dos Trabalhadores no Acre.

No movimento político, Bacurau acha que mesmo a Constituinte sendo convocada de maneira autoritária pelo Sarney, é possível conquistar um espaço de discussão, como garantia de que as propostas populares sejam levadas ao plenário nacional.

Parte da renda da noite de autógrafos do relançamento de "Chico Boi" será para a campanha ,eleitoral de Bacurau, caso seu nome seja aceito pela convenção estadual do PT — Acre, para concorrer a deputado federal.

Chico Boi, livro de Bacurau, foi lançado em 1978 na mesma cidade que o rejeitou quando criança.

Mas a direção do hospital soube das discussões e os proibiu de formar um movimento social ali dentro.

O grupo encontrou apoio em outra cidade, São Bernardo do Campo. Lá, o médico Zé Ruben e a assistente social Natividade os ajudaram a fixar a sede nacional do Morhan, fundada no dia 6 de junho de 1981.

Bacurau viajou pelo país para divulgar o Morhan e implantar núcleos regionais. Sem recursos, dormia nos bancos duros das rodoviárias e andava muitos quilômetros a pé para dar palestras.

A repercussão foi grande e, em 1983, Bacurau recebeu o convite para ser membro permanente do Conselho Nacional de Saúde. A partir disso, seu trabalho foi divulgado no Brasil e no mundo.

Ao retornar ao Acre, na mesma década, Bacurau envolveu-se no universo da política, filiando-se ao Partido dos Trabalhadores (PT). Candidatou-se a deputado federal em 1986. Recebeu 3 mil votos, o mais votado do PT no Acre, mas não conseguiu ser eleito. Mesmo assim, foi diversas vezes a Brasília para apresentar projetos de interesse do Morhan.

Na Constituinte de 1988, uma proposta de Bacurau foi acatada na formulação da nova Constituição Federal. No artigo 3°, inciso IV, na frase "promover o bem de todos, sem preconceito de origem, raça, sexo, cor e idade", Bacurau conseguiu incluir "e quaisquer outras formas de discriminação", para que os antigos internos das colônias também se sentissem representados.

Tentou ainda uma vaga de vereador em Rio Branco, sem sucesso. Por fim, atuou como coordenador da dermatologia na Secretaria Municipal de Saúde, no mandato do então prefeito Jorge Viana, do PT.

Em 1990, recebeu, na Itália, o Prêmio Nacional Raoul Follereau pela atuação no movimento. Encontrou-se com as mais diversas

Bacurau também se lança pelo PT

"Todas as propostas que vou defender deverão nascer basicamente do povo. Defendo a participação do povo na Constituinte porque faço parte desse povo e tenho muito orgulho disso". Essa afirmação foi feita ontem por Francisco Augusto Vieira Nunes, o Bacurau, líder do Movimento de Reintegração dos Hansenianos (Morhan), afastado atualmente para concorrer na Convenção do Partido dos Trabalhadores (PT), que se realizará no dia 13 de abril, a Deputado Constituinte.

Aos 46 anos, auto-didata, uma das maiores preocupações de Bacurau é com a situação de preconceito que enfrentou desde os 14 anos. "Desde que saí da Colônia de Hansenianos, três anos depois da minha internação, enfrentei problemas de preconceitos provenientes da ignorância das pessoas. Não consegui emprego. Não pude estudar em escolas. Quando entrei numa escola foi para ser professor. Hoje defendo que todo trabalhador lesado fisicamente, em função de atividades profissionais deve ter sua indenização além de outros direitos assegurados. Eu gostaria de ser candidato pelo Movimento de Hansenianos, mas isso não é previsto por lei, portanto tenho que ser candidato pelo meu partido, o PT".

Com relação ao PT, Bacurau o considera "a casa do trabalhador". "Um trabalhador que está em outro partido, está hospedado. Porque tem sempre alguém acima dele, que o manda calar a boca. No PT, o trabalhador tem liberdade de expressão. Eu gostaria, acreditamos que as propostas do Partido são as mais coerentes com as necessidades dos trabalhadores".

REFORMA AGRÁRIA

Nesse sentido ele defenderá a necessidade de se fazer uma Reforma Agrária no país. "Mas, a Reforma que queremos tem que sair do

papel e partir para a prática. É uma Reforma séria, que beneficie o homem do campo, para que não ocorra o que está acontecendo agora em frente ao INCRA, onde dezenas de trabalhadores rurais estão jogados, lutando pelo direito à terra. Não se admite que o governo dê a esses trabalhadores, assim que deixam de produzir, meio salário mínimo e não lhes garanta sequer o direito à propriedade, enquanto estão produzindo".

Sobre as reservas indígenas, Bacurau acredita ser necessário acabar com a aculturação a que estão sujeitos esses povos e prega também o respeito às suas terras. "Nós estamos acabando com a cultura do povo indígena, quando deveríamos estar aprendendo com eles".

DIVIDA EXTERNA

Ele é contrário ainda ao pagamento da dívida externa. "Não foram os brasileiros que contraíram essa dívida. Vou te dar um exemplo: Se você tem um crediário numa loja e de repente uma pessoa compra o que bem entende na sua conta, naturalmente, você não vai querer pagar. E essa deve ser a posição do povo brasileiro. Quem fez a dívida que pague".

Educação e saúde também são preocupações do candidato que acredita que este é um direito assegurado dos brasileiros e não podem assumir caracteres privados. "É um crime que alguém tenha que pagar médico neste país. Não se pode vender saúde e o governo tem que viabilizar um atendimento decente à população, assim como tem que dar condições de Educação ao povo".

Além desses pontos, Bacurau está preocupado com a devastação da floresta Amazônica. Não se pode admitir que a ecologia seja destruída, causando um desequilíbrio à natureza. A nossa fauna é rica. Para se ter uma idéia existe uma estimativa que afirma que se tem dois bois para cada habitante do Estado. E quem é que come carne no Acre? Quem toma leite? É necessário uma política coerente com a utilização correta dos meios naturais e que atenda diretamente o povo".

Com relação ao sindicalismo ele defende as propostas do seu partido, pregando a liberdade sindical. "O sindicato deve ser livre. Nada de cabrestos, de pelegos, porque é que ele deve defender as propostas dos trabalhadores. Eu gostaria muito de ver as Associações e os sindicatos do Acre livres, principalmente desses pelegos, que fazem valer as propostas governamentais".

Finalmente, Bacurau afirma que sua maior esperança é a de que o povo se conscientize da força que tem. "Quando isso ocorrer o povo vai descobrir que é ele que carrega a nação nas costas e aí ninguém mais segura"

Bacurau tem várias propostas

Bacurau queria ajudar as vítimas da doença por meio da política.

A GAZETA

Rio Branco — AC., 07 — 03 — 90

Morhan recebe prêmios e uma bênção de Papa

O Movimento de Reintegração do Hanseniano — MORHAN, do Acre, ganhou projeção internacional depois de vários anos de atividades. Francisco Augusto Nunes Vieira, o "Bacurau" e Roberto Santi, convidados para proferir palestras sobre hanseníase na Itália — em mais de 30 cidades — foram premiados por associações, partidos e organismos oficiais daquele País, em função do trabalho desenvolvido no Estado no combate à doença.

Dentre os prêmios que receberam conta diplomas e medalhas do Instituto Internazionale di Cultura Scienze e Arti de Roma, do Senado da República Italiana, Partido Comunista Italiano (PCI), dos moradores da cidade de Barga e Associação Italiana "Amigos de Raoul Follereou". Roberto Santi e Francisco Bacurau também foram recebidos pelo Papa João Paulo II no Vaticano.

Eles entregaram ao papa um documento relatando a situação por portadores de hanseníase no Brasil e da situação dos povos da floresta no país. O reconhecimento do Morhan se deu por sua luta sem tréguas para vencer o preconceito contra os portadores da hanseníase. (Pág. 5)

Bacurau e Roberto Sarti são recebidos pelo papa João Paulo II após receberem vários prêmios na Itália pelo trabalho do Morhan

© Arquivo Morhan

Bacurau ganhou prêmios e foi parabenizado até pelo papa por seu trabalho.

autoridades do país, desde o papa João Paulo II até os líderes do Partido Comunista italiano. Percorreu mais de trinta cidades da Itália, proferindo palestras sobre o Morhan e as dificuldades dos ex-internos no Brasil.

Em 1993, apresentou um artigo bastante crítico no Congresso Internacional de Hanseníase em Orlando, nos Estados Unidos, intitulado "Leproso: Uma Identidade Perversa". Em 1995, foi à China apresentar suas ideias a convite do governo chinês.

Bacurau venceu a hanseníase, o preconceito e alcançou diversas conquistas na luta a favor dos companheiros das antigas colônias. Entretanto, outra doença interrompeu sua batalha. O câncer no cérebro se espalhou para outras partes do corpo.

O ativista se manteve em ação o quanto pôde. Despediu-se da militância no Encontro Nacional do Morhan realizado em Fortaleza. Na cadeira de rodas, com a aparência fragilizada e dificuldades na fala, fez questão de discursar na abertura do evento.

Logo depois do encontro, reclamou de dores insuportáveis. Foi levado ao Hospital das Clínicas, em São Paulo. Lá, os médicos tentaram uma operação para a retirada do tumor. Na mesa de cirurgia, perceberam que o câncer estava em estágio avançado, com metástase. Nada puderam fazer. Bacurau ficou em coma por quase duas semanas. Ao retornar, não conhecia nem a mulher. Mas aos poucos a memória voltou, então ele pediu para Tereza levá-lo de volta a Rio Branco, para morrer perto da família.

No Natal de 1996, reuniu todo mundo para se despedir. Deu conselhos aos filhos. Por fim, fez um último pedido à mulher, depois de vinte anos de união:

— Quer se casar comigo?

Os filhos chamaram um padre e Bacurau casou-se com Tereza deitado na cama. Seus olhos brilhavam. Por fim, pediu aos familiares

Morre Bacurau, um grande lutador

O Acre perde, aos 56 anos, um dos grandes líderes comunitários

Faleceu domingo às 13 horas em sua residência no Conjunto Castelo Branco, vitimado por um câncer, Francisco Augusto Vieira Nunes, popularmente conhecido por Bacurau, aos 56 anos de idade. Bacurau chegou ao Acre em 1962 procedente do Amazonas, e já acometido de hanseníase foi direto para o hospital Souza Araújo. Enfrentou tabus e preconceitos, mas lutou de forma brava para pôr um fim a tudo isso, principalmente com a discriminação de parte da sociedade com os doentes. Virou um líder e percorreu o mundo fazendo palestras, dando cursos e procurando desmontar barreiras contra a hanseníase. Foi presidente do Morhan por 8 anos, fazendo excelente trabalho.

Bacurau mesmo depois de operado ainda visitou alguns países, incluindo a China. Se encontrou com presidentes, reis, políticos e manteve audiência com o Papa no Vaticano. Era um apaixonado pela Amazônia e seu povo. Bacurau foi professor, músico e poeta. Tentou um espaço na política, saindo candidato a deputado e vereador por

duas ocasiões, mesmo sendo reconhecido através de considerável margem de votos não conseguiu se eleger. Isso não lhe abateu, e continuou a sua trajetória em defesa dos menos favorecidos. Construiu amigos em todas as camadas da sociedade. Em uma certa ocasião recebeu a visita do ministro da Saúde Adib Jatene, já doente em sua casa.

Até o último suspiro Bacurau foi um forte. Ele confessava aos seus amigos e parentes que seu maior sonho era um dia ver uma sociedade mais justa, sem preconceitos e ódios, e que botasse em cada uma pessoa o espírito da solidariedade e do respeito. Francisco Augusto foi sepultado com um grande acompanhamento de amigos e parentes exatamente às 10 horas de ontem no cemitério São João Batista, antes, houve uma missa de corpo presente na Catedral Nossa Senhora de Nazaré.

"Minha canção tem adeus, minha canção tem amor. Minha canção tem sorriso, minha canção tem flor" (Bacurau).

Rio Branco, terça-feira, 14 de janeiro de 1997

O RIO BRANCO

Bacurau, um líder do movimento dos hansenianos

No dia 12 de janeiro de 1997, Bacurau morreu de câncer ao lado da família.

que colocassem na sala de casa um quadro com a frase: "Aqui viveu um homem feliz".

Toda essa história sobre a vida de Bacurau, além de registros, documentos e fotos foram preservados em Rio Branco, na Sala Memória Bacurau. O pequeno museu está instalado na casa em que viveu desde que saiu do isolamento compulsório até a morte, no bairro Floresta. Estudantes, pesquisadores e historiadores costumam frequentar o local e vasculhar o acervo sobre Bacurau, a hanseníase e os movimentos sociais.

Para visitar a Sala Memória Bacurau, é preciso agendar previamente, entre 8 e 18 horas. Quem não pode ir a Rio Branco, tem a oportunidade de conhecer o museu por meio de um *tour* virtual no *site* Casa de Bacurau. A versão interativa foi a forma de universalizar a memória do homem que ajudou a mudar a história da hanseníase no Brasil.

(...) Liberdade, liberdade.
Cabeça erguida, voz, identidade;
Valeu a pena fazer a hora,
Colher o medo, o doce fruto da coragem;
Valeu a pena escrever História
Com mãos podadas e abrir passagem
Liberdade, liberdade.
Cabeça erguida, voz, identidade.

Trecho de *Valeu a Pena*, música de Bacurau. Ele compôs essa letra para homenagear os dez anos do Morhan.

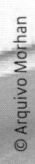

O RIO BRANCO

Bacurau e Roberto Santi foram receber prêmio na Itália.

Morhan quer acabar preconceito

No próximo domingo será comemorado o Dia Mundial dos Hansenianos e o Movimento de Reintegração dos Hansenianos — Morhan realizará uma reunião, na sede da entidade, com os seus integrantes e interessados. O Morhan é uma entidade preocupada em extinguir o preconceito existente em relação à doença.

O secretário-geral do Movimento no Estado, Adauto das Mercês Pereira, informou que em oito anos de trabalho do Movimento na capital foi possível reduzir o nível de preconceito contra os hansenianos. O que não aconteceu no interior. "Em Plácido de Castro, por exemplo, os hansenianos ainda são isolados", ressalta.

No Dia Mundial dos Hansenianos, o Morhan receberá o prêmio internacional intitulado "Raul Follereau", do governo italiano. Encontram-se na Itália dois dos fundadores do Movimento no Estado: Francisco Augusto Vieira Nunes, o Bacurau — hoje vice-coordenador Nacional do Morhan e o enfermeiro Roberto Santi. (Página 5).

O Morhan sempre se preocupou em extinguir o preconceito existente em relação à hanseníase.

XIX

Na batalha para apagar o estigma

O Morhan nasceu com a missão de fazer com que a hanseníase seja compreendida na sociedade como uma enfermidade comum, com tratamento e cura. Para eliminar, assim, o estigma que a doença sempre carregou. Também realiza campanhas relacionadas à prevenção, aos sintomas, ao tratamento e à importância do diagnóstico precoce. E atua para garantir os direitos dos atingidos pela hanseníase e a reabilitação dos sequelados.

Sua base é o voluntariado. São milhares de voluntários atuando, principalmente, nas regiões das trinta e três colônias que se transformaram em abrigos para os ex-internos. Sua principal ferramenta é o esclarecimento. Em 1989, conseguiu ajuda para realizar a primeira campanha em massa na grande mídia sobre a hanseníase no Brasil. Também sempre atuou para atrair artistas e celebridades. O cantor Ney Matogrosso foi um dos primeiros a se filiar ao Morhan. Outras celebridades também ajudaram nas campanhas de TV, rádio, jornal e nos fôlderes e cartazes, como Elke Maravilha e Patrícia Pilar.

Cartazes de campanha de conscientização da doença.

Em 1997, o então ministro dos esportes, Edson Arantes do Nascimento, o Pelé, aceitou o convite para ser o Embaixador da Eliminação da Hanseníase no país. Em 2002, Ney Matogrosso fez uma participação na novela da Globo *O Clone*, da autora Glória Perez, para falar sobre a doença. A atriz Solange Couto, que fazia parte do elenco, sensibilizada com a causa, também se voluntariou para ajudar.

Nas grandes conquistas, o movimento esteve presente, como na publicação da Lei nº 9.010, que proibiu o uso do termo "lepra" em documentos oficiais, e da Lei nº 11.520, que assegurou pensão aos ex-internos. Também responde pela mobilização nacional do Dia Mundial de Combate à Hanseníase, no último domingo de janeiro. A data foi instituída pela Organização Mundial de Saúde (OMS). Desde 1998, os voluntários organizam as comemorações simultâneas em todo o país.

Outra ação de destaque é a Carretinha da Saúde, uma unidade móvel adaptada com três ambulatórios. Os profissionais da carretinha identificam casos de hanseníase e encaminham os pacientes para a unidade de saúde mais próxima. O veículo também é lúdico. Possui um palco para peças e apresentações educativas, além de recursos multimídia e elevador para pessoas com deficiência.

Associado à Rede Lusófona de Eliminação da Hanseníase, possui parceria com a OMS. Dela, recebeu prêmio de reconhecimento pela atuação na área da saúde, em 2007, durante a 61ª Assembleia Mundial da Saúde, em Genebra. O Morhan foi a primeira entidade brasileira e o primeiro movimento social do mundo a receber a premiação.

Outro importante parceiro é a fundação japonesa Sasakawa Health. A instituição financia o Telehansen, serviço de chamadas gratuitas. Pelo número 0800-26-2001 é possível tirar dúvidas sobre a doença, descobrir os locais de tratamento e fazer reclamações, como falta de medicamentos e situações de preconceito. Outro canal interessante para tirar dúvidas é o número de *Whats App* (21) 97912-0108.

A contribuição do Japão é emblemática. O país isolou os pacientes em colônias por muito tempo. Até a década de 1990, havia japoneses enclausurados. Pela morosidade para terminar com tal situação, os ex-internos ingressaram com ação contra o Estado e venceram. Além da indenização, constava na ação a implantação de museus para guardar a memória do isolamento compulsório. No total, o país conta com três museus da hanseníase. A religião budista foi uma grande apoiadora da causa. Hoje, os monges aprendizes têm de visitar esses museus durante a formação.

Depois do Morhan, outras organizações similares surgiram. Em 2001, a Associação de Apoio às Famílias com Hanseníase (AFH) foi fundada em Curitiba. Atua mais na área assistencialista, propiciando auxílio mensal a mais de 100 famílias que recebem cestas básicas, leite, fraldas, roupas, cobertores e remédios complementares, como pomadas anti-inflamatórias. Ainda oferece assessoria jurídica, atendimento psicológico e cursos. Um dos mais procurados é o de informática. Aulas gratuitas de Windows, Word, Excel e navegação na internet são abertas à comunidade, mas a prioridade é dos pacientes em tratamento e familiares. Na conclusão do curso, orientam-se os alunos a como se comportarem em entrevistas de emprego.

Quatro anos depois, a AFH estendeu sua atuação para Itajaí (SC). Atende a 180 famílias do município e mais oito cidades: Balneário Camboriú, Navegantes, Penha, Brusque, Gaspar, Tijucas, Porto Belo e Itapema. Distribui cestas básicas, fraldas, leite e cereais. E promove cursos de corte e costura e de informática. Organiza almoços solidários, faz atendimento odontológico e dá apoio psicossocial. Os mesmos serviços são prestados também pela filial da AFH em Guarapuava (PR).

Também em 2005, a Ordem dos Franciscanos, da Igreja Católica, implantou o projeto Franciscanos pela Eliminação da Hanseníase. Promove campanhas nacionais de informação enfatizando a importância do diagnóstico precoce, do tratamento e do combate ao preconceito. Os franciscanos incorporaram ao projeto as visitas aos doentes e a organização de palestras com especialistas. Como mantêm trabalho contínuo de ajuda às populações mais carentes, principalmente moradores de rua, os religiosos atingem um segmento da sociedade que o Poder Público tem dificuldade de alcançar.

Mais antiga é a Fundação Paulista Contra a Hanseníase. Nasceu em 1934 para incentivar a pesquisa sobre a doença. Os anos se passaram e a fundação cresceu. Hoje, além da pesquisa, trata do ensino e de assistência social. Patrocina estudos, publicações de artigos científicos e treinamento de profissionais nas áreas de medicina, enfermagem, educação em saúde e reabilitação. Proporciona, a cada mês, por intermédio de especialistas, reuniões de atualização para médicos da rede pública. Mensalmente, ainda realiza um encontro interdisciplinar de hanseníase.

Pesquisadores com projetos relacionados à doença podem se candidatar ao amparo da fundação ou de órgãos públicos parceiros. Propostas de comunicação e disseminação do conhecimento científico igualmente são favorecidas. Cabe à fundação sustentar a impressão e distribuição da revista *Hansenologia Internationalis*, respeitada entre os especialistas da área. Desde 1995, a revista é editada pelo Instituto Lauro de Souza Lima, constituído em 1989 e instalado no espaço da antiga Colônia de Aimorés, em Bauru (SP).

No que se refere à assistência social, a fundação propicia ações de reabilitação para sequelados, como fisioterapia. Banca aulas de capacitação profissional e semiprofissionalizantes para doentes e familiares. Desde 2003, já realizou cursos de cabeleireiro, torneiro mecânico, corte e costura, informática, auxiliar administrativo, auxiliar odontológico, eletrônica, instrumentação básica e telefonista.

No setor de prevenção de incapacidades e geração de renda, os pacientes são orientados na produção de trabalhos artesanais, como enfeites, dobraduras, bijuterias e ímãs de geladeira. Vendidos em bazares, toda a renda obtida vai para os próprios artesãos.

Com grande número de casos de hanseníase, entidades internacionais estão presentes no Brasil para ajudar neste enfrentamento à doença. Algumas abriram escritórios no país e possuem linhas de financiamento. É o caso da NHR Brasil, filial da NLR (*Netherlands Leprosy Relief*), a fundação holandesa com matriz em Amsterdã. Lança editais de apoio a projetos, oferece os recursos, monitora e avalia as ações. Custeia pesquisas, calçados adaptados ou órteses, iniciativas de combate, de inclusão social, reabilitação física e geração de renda.

Na Holanda, a NLR apareceu em 1967 com o objetivo de enfrentar a hanseníase na Europa e no resto do mundo. A filial brasileira surgiu em 2011, concentrando suas atividades em seis áreas de maior carga e risco relacionados à transmissão, significando cobertura de 535 municípios. Do total, 127 são de Tocantins e do Piauí, 52 de Rondônia, 138 de Minas, Espírito Santo e Bahia, 212 do Ceará, Paraíba, Pernambuco e Bahia, além de 6 do Amapá.

Fonte: *site* NHR Brasil

Quem pretende pedir apoio à NHR deve apresentar propostas que se enquadrem principalmente nas seguintes áreas: pesquisa operacional ou aplicada, projetos de extensão universitária, materiais especiais (calçados adaptados ou órteses), grupos de autocuidado inclusivos para outras doenças ou condições além da hanseníase, inclusão social de hansenianos ou com deficiências causadas pela enfermidade, advocacia/direitos humanos dos portadores ou com deficiências, crianças com deficiência, reabilitação baseada na comunidade, empoderamento dos beneficiários e suas comunidades, redução da pobreza das pessoas com hanseníase ou com deficiências, capacitação vocacional, geração de renda e doenças tropicais negligenciadas.

Estão aptos a participar da seleção do edital de financiamento orgãos públicos, ONGs, universidades e movimentos sociais. A iniciativa não deve ter fins políticos e a instituição tem de possuir experiência, além de comprovar a execução de ações semelhantes no passado. Cada projeto terá acesso, no máximo, a R$ 25 mil por ano.

Outra entidade do gênero é a DAHW. Trata-se da Associação Alemã de Assistência aos Hansenianos e Tuberculosos. Ela respalda, sobretudo, políticas públicas, instituições de pesquisa, programas de sapataria adaptada e centros de referência de diagnóstico e tratamento. Seu foco está nas regiões de maior incidência.

O trabalho da ONG começou em Mato Grosso, um dos estados com o maior número proporcional de infectados. Em 2009, auxiliou projetos dos trinta e três municípios mato-grossenses mais afetados, atingindo 1.838 pacientes recém-diagnosticados. Naquele ano, 2.700 novos casos de hanseníase surgiram em Mato Grosso, o que significa que a DAHW alcançou quase 70% das novas incidências. No estado, o valor total de financiamentos da ONG somou 90 mil euros naquele ano.

De lá para cá, a entidade ampliou sua atuação, chegando aos outros estados com forte incidência. Hoje, financia projetos de suporte ao serviço de saúde, incluindo conscientização e promoção do diagnóstico precoce, formação de profissionais de saúde, cursos de aperfeiçoamento, compra de materiais de estudo e prevenção das sequelas e incapacidades.

HANSENÍASE TEM

TOD NDO TRABALHANDO PELO

Cristiano Torres ajudou na concessão de indenizações a milhares de companheiros que, assim como ele, padeceram nos leprosários.

XX

Doze mil requerimentos de vítimas da hanseníase

C abelos grisalhos, bengala, passos curtos, camiseta e boné do Morhan. Assim, Cristiano Torres percorre os corredores da Secretaria Nacional de Promoção dos Direitos da Pessoa com Deficiência, onde acontecem as reuniões da Comissão Interministerial de Avaliação da Pensão Especial da Hanseníase. Ela foi criada com a regulamentação da Lei n° 11.520, aquela que estabeleceu a pensão especial, mensal, vitalícia e intransferível para os ex-internos isolados compulsoriamente nas colônias. Nela, os pedidos de pensão são avaliados um a um.

Das discussões participam os ministérios da Saúde, Previdência, Desenvolvimento Social, Planejamento, além da Secretaria de Direitos Humanos e de um representante do Morhan. São examinados requerimentos e provas.

A análise visa, por exemplo, distinguir quem foi isolado compulsoriamente — e tem direito à pensão — daqueles que não foram levados aos leprosários contra a sua vontade. Quando o sistema de isolamento começou a ruir, algumas colônias recebiam casos não contagiosos da doença em hospitais que ficavam na entrada dos leprosários. Pacientes internados temporariamente, por causa do tratamento, e que não se confundiam com os casos mais graves logo saíam do hospital, curados. Outros solicitavam a internação temporária.

Somente aqueles pacientes sujeitados a viver nas colônias perdiam totalmente a liberdade, não estavam ali temporariamente. Recebiam ficha e número, semelhante aos presidiários. Não raro eram chamados por esse número, inclusive nos alto-falantes, comuns nos leprosários.

Cristiano foi um dos integrantes históricos do Morhan. Ajudou a fundar o movimento junto com o Bacurau e a turma das colônias do Norte. Passou grande parte da vida na Colônia de Marituba, no Pará, para onde foi levado em 1947, aos sete anos de idade.

— O pessoal aqui não tinha conhecimento sobre o passado da hanseníase, porque o Brasil não conhece essa história. A população não sabe o que foi o isolamento. Isso tudo precisa vir à tona. É preciso que a história seja contada.

Sua experiência contou na hora de decidir pelo deferimento ou indeferimento dos pedidos de pensão. Virou peça-chave para dirimir dúvidas.

— Pela maneira como o cidadão conta a história dele no processo percebo se está mentindo ou não. Pela linguagem que ele usa. Dentro das colônias havia uma linguagem um pouco diferente, algumas palavras usadas apenas lá, algumas gírias específicas de internos.

Desde que a Lei nº 11.520 foi colocada em prática, os requerimentos não param de chegar à comissão. A estimativa do governo era, inicialmente, de 4 mil pedidos a serem encaminhados. Porém, até março de 2016, foram mais de 12 mil, conforme a tabela divulgada pela comissão.

Nº de requerimentos recebidos até 10/03/2016	12.065
Deferidos até 25/02/2016	8.808
Indeferidos até 25/02/2016	3.221
Processos em andamento	36

A falta de documentos comprobatórios do isolamento é um dos principais motivos para o indeferimento. Os livros de registro de internação costumam ser a melhor prova para conseguir a pensão. Ocorre que, das dezenas de colônias que existiram no Brasil, apenas três conservaram tais livros. O restante da documentação é precário. A solução é garimpar prontuários e apontamentos do período.

Quem não acha documentação alguma precisa recorrer à justiça para pedir a pensão. Quase metade dos 150 requerimentos judicializados, sessenta e três deles, é de ex-internos de Minas. Em segundo lugar vem o Acre, onde o levantamento de provas documentais é tarefa muito penosa. Lá, são aproximadamente cinquenta pedidos de indenização judicializados.

A colônia no Acre era completamente desorganizada. O isolamento acontecia no meio da floresta, na região dos seringais. Os pacientes diagnosticados com hanseníase, independentemente do grau de comprometimento da doença, eram mandados para trabalhar nos seringais, sem nenhuma orientação ou tratamento adequado, o que agravava por demais as sequelas. Pelo menos 90% dos solicitantes têm deficiência física em estágio avançado. As marcas da lepra são nítidas, muito provavelmente foram isolados, mas não há documentação que comprove. Logo, a comissão não tem como avaliar o processo. Só resta a via judicial.

Para tentar resolver o problema, os próprios integrantes da comissão foram atrás de provas, tentativa de diminuir os indeferimentos. Visitaram colônias à cata de papéis de internação. Poucos foram encontrados. Depararam-se com hospitais desativados e sem arquivos. E outros em operação, mas de onde a papelada simplesmente sumiu. O motivo para o "sumiço", muitas vezes, é a tentativa de abafar os crimes de violação aos direitos humanos cometidos nessas instituições.

Apelar ao Judiciário não atende, necessariamente, à expectativa do reclamante. Em outubro de 2015, decisão da 4ª Turma do Tribunal Regional Federal da 4ª Região negou pedido de pensão a um morador de Palmital, no Paraná. Embora o ex-interno tivesse sido isolado em Curitiba, ele mesmo admitiu que o irmão o levou ao hospital e que não houve ação do Estado para interná-lo à força.

Não há data limite para dar entrada no processo de pensão. Além do requerimento preenchido, o solicitante precisa apresentar cópias autenticadas da carteira de identidade e do CPF, comprovante de residência, cópia da ficha de internação compulsória ou prontuário do hospital-colônia que comprove a internação forçada ou documentos oficiais que apresentem provas consistentes. Testemunhas poderão ser arroladas. O requerimento é gratuito e deve ser entregue à Secretaria Especial de Direitos Humanos pelos Correios ou pessoalmente.

Quem já obteve outro benefício da Previdência Social, como aposentadoria por invalidez, por tempo de serviço, por idade ou contribuição, pode — em caso de deferimento do pedido — continuar recebendo os valores normalmente, acumulando-os com a nova pensão. A exceção à regra é o Benefício Assistencial de Prestação Continuada, sustado quando o beneficiário passa a auferir pensão por segregação coercitiva.

Diante do indeferimento, é possível ingressar com recurso administrativo junto à comissão. Cristiano acredita que o sistema funciona bem.

— O método é o mais próximo possível do que a gente considera como fazer justiça. Acho muito justo. Pode ser que se cometa algum erro, porque não conseguimos ser perfeitos, mas o critério de julgamento é o melhor, é o humano, não apenas jurídico.

Nos últimos três anos, com a saúde fragilizada, Cristiano parou de acompanhar as reuniões. Seu médico proibiu as viagens constantes a Brasília. Precisava ficar em repouso na Colônia de Marituba. Os amigos lamentavam e diziam que o velho batalhador se sentia preso, com as asas cortadas, como acontecia nos tempos do isolamento compulsório. No dia 23 de janeiro de 2017, Cristiano faleceu aos setenta e sete anos.

Artur Custódio foi coordenador nacional do Morhan até abril de 2016. Há trinta anos ele atua na defesa dos direitos dos atingidos pela hanseníase.

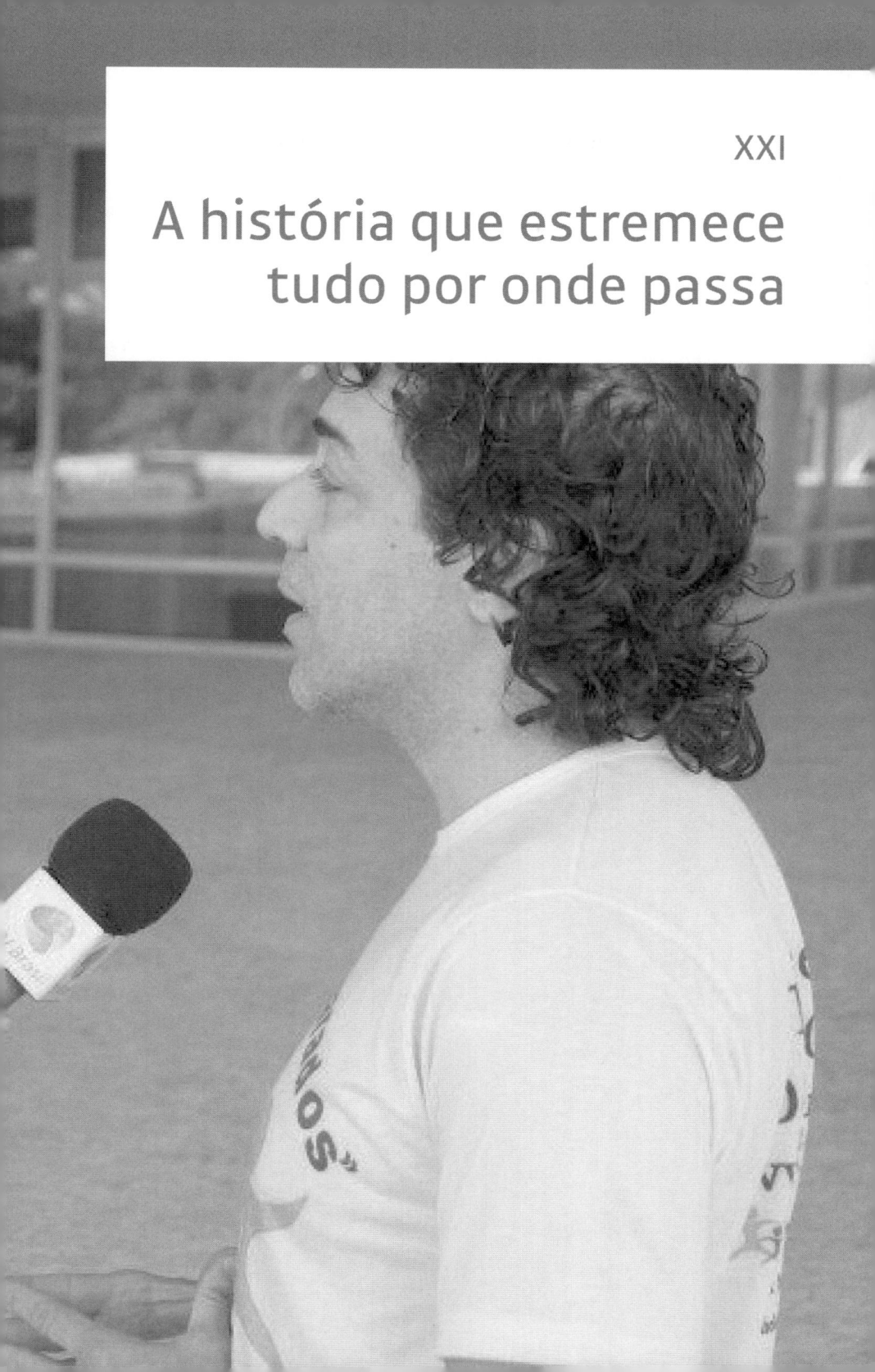

XXI

A história que estremece tudo por onde passa

Artur Custódio foi coordenador nacional do Morhan por mais de dez anos, até abril de 2016, quando passou o cargo para Lucimar Batista. Hoje, é vice-coordenador do movimento, integrando ainda o Conselho Nacional de Saúde, o Comitê Técnico Assessor de Hanseníase do Ministério da Saúde e o Comitê Nacional de Educação Popular em Saúde.

Há trinta anos, Artur atua na defesa dos direitos dos atingidos pela hanseníase e no combate ao preconceito. O que ele tem de diferente da maioria dos membros da coordenação do Morhan é que nunca teve hanseníase, nem seus pais, nem qualquer pessoa da família.

O envolvimento com a causa veio na adolescência. Nos anos 1980, ele participava de um grupo de jovens ligados ao movimento espírita que costumava visitar os remanescentes das colônias do Rio, geralmente idosos, sozinhos, com pouco ou nenhum contato com os familiares. O grupo distribuía doações, conversava e tocava música para os ex-internos.

Em 1986, aprovado em concurso de agente de saúde, Artur cumpriu estágio probatório em Petrópolis. Lá, conheceu o Morhan. Logo, engajou-se no trabalho junto aos hansenianos em Nova Iguaçu (RJ). Ele pode até não ter percebido no primeiro momento, mas descobriu seu caminho e sua causa.

A vida seguiu e Artur passou no vestibular de geologia da Universidade do Estado do Rio de Janeiro (UERJ). Após quatro anos de curso, viu que não era aquilo que queria e resolveu apostar em outro ramo. Fez um semestre de comunicação. Depois, oito anos de serviço social e ainda não se encontrou. Partiu para gestão ambiental. Mais três anos e mais um curso abandonado. Encantou-se com a fotografia. Foram dois anos e meio de curso. Enfim, a maior parte das suas horas de trabalho foi destinada ao Morhan.

— Queria me dedicar a algo ligado ao social mesmo. A questão da hanseníase me sensibilizou, principalmente a situação dos ex-internos idosos e o problema do preconceito. Senti que tinha de fazer alguma coisa.

Foram as vitórias do Morhan que conquistaram Artur de vez para a militância. Em 1990, depois de muita mobilização, caiu a Lei 4.737, que mandava esterilizar o título de eleitor das pessoas afetadas pela hanseníase. Triunfo muito comemorado pelos novos voluntários, empolgados com a batalha para acabar com o velho estigma.

Em seguida, o Morhan, batendo-se contra o preconceito, venceu uma batalha judicial contra o Ceará. Na carteira de identidade de um ex-interno, no lugar da impressão digital havia a seguinte inscrição: "ausência total de impressão digital — portador de hanseníase". No local da assinatura, a palavra "analfabeto". O dono da carteira já estava curado da doença havia anos. O funcionário do serviço de identificação, na verdade, temeu tocá-lo por causa das sequelas nas mãos. Nunca mais o Estado ousou registrar uma carteira assim.

Artur confessa ser emotivo. Cada feito, cada avanço, cada história dos atingidos pela hanseníse sempre o comovem e o motivam a continuar o trabalho.

— Eu me emociono todo mês. Quando se perde a capacidade de se emocionar com uma causa, aí se perde o sentido da luta.

Apaixonado pelo trabalho humanitário, ele faz palestras para ajudar outros movimentos. Nos encontros, roda um vídeo sobre os filhos separados dos pais por motivo do isolamento compulsório. Um dos filhos, ao longo do depoimento, diz que a única coisa em sua vida que dói muito é não ter podido abraçar e beijar a mãe. Ao relembrar a frase, Artur se desmancha em lágrimas, apesar de ter assistido ao vídeo "milhares de vezes".

Quando se fala em campanhas na mídia contra a hanseníase, uma das principais referências é Ney Matogrosso. O rosto do cantor já estampou muitos cartazes espalhados pelos postos de saúde do país. Esteve nas campanhas de televisão e partiu em busca de ajuda junto a políticos e órgãos públicos.

Durante a adolescência, em Mato Grosso do Sul, Ney teve o primeiro contato com a realidade da doença. Sua mãe pegou uma jovem para criar, filha de pais conduzidos ao leprosário. A menina foi tratada com muito amor e só saiu de casa quando se casou. Nas quatro décadas seguintes, ele não ouviu mais falar em hanseníase.

Em 2000, o artista foi procurado pelo Morhan por um engano providencial. Seu xará, Ney Latorraca, tinha dado entrevista dizendo que gostaria de se envolver na campanha contra a hanseníase. Como os dois artistas são confundidos com frequência, o movimento saiu à cata do Ney errado, que acabou sendo o Ney certo, porque ele vestiu a camisa e encontrou-se como voluntário do Morhan.

Vídeo de Ney Matogrosso alertando sobre os sintomas da hanseníase.

Quando Ney Matogrosso era ainda adolescente, sua mãe adotou uma menina que foi afastada de seus pais leprosos.

No primeiro contato, o artista ficou assustado com a incidência da hanseníase no Brasil. Para ele, aquilo era coisa do passado, da adolescência em Mato Grosso do Sul. Como podia ter tantos casos no país se existiam o tratamento e a cura havia muito tempo?

Procurou, então, o Ministério da Saúde, oferecendo sua ajuda para uma campanha nacional de esclarecimento. O ministério não comprou a ideia. Ney não desanimou. Começou a viajar pelo país, engajando-se em campanhas estaduais. Falava sobre os sintomas e a importância de procurar tratamento. A cada ação, espantava-se com a quantidade de gente que se descobria com hanseníase. Não deixou de pedir apoio a Brasília. Desde 2000, encontrou-se com todos os ministros da Saúde.

Ney reclama do nível de esclarecimento público em relação à hanseníase e da ausência de ações do Estado. Como a doença vitima sobretudo os pobres, sem investimentos pesados, na sua opinião, não é possível derrotá-la.

— Duas coisas me deixam revoltado. A insensibilidade das autoridades diante de um problema tão grave, que é a persistência de novos pacientes com hanseníase a cada ano, e o fato de sermos os campeões mundiais em casos de crianças contaminadas com a doença. Isso é muito vergonhoso!

Bebês que eram separados de suas mães chegavam
nos preventórios dentro de cestas de vime e eram
chamados de "ninhada de leprosos".

XXII

"Ninhadas de leprosos"

No chão de terra batida da Colônia do Prata, no Pará, sempre fica o rastro da cadeira de rodas de Iverlândia. Ativa, movimenta-se o dia inteiro entre ruas e prédios abandonados, lembranças do que sobrou da época do leprosário. Lida muito bem com seu meio de locomoção, mesmo em partes onde a pista está desnivelada ou com buracos.

Iverlândia Maria Lemos nasceu em 1975, dentro da Colônia do Prata. Nunca teve hanseníase. Passou a usar cadeira de rodas depois de um acidente. Não deixa que ninguém se compadeça dela por causa da deficiência. O difícil, acha, é conviver com os traumas do passado e o estigma da doença que não teve, mas que causou um grande estrago na sua história.

Iverlândia foi arrancada do ventre da mãe e imediatamente levada ao preventório, o abrigo dos órfãos de mães vivas, desconsideradas e apagadas da sociedade por serem leprosas. Chegou ao local dentro de um cesto de vime, a forma usual de carregar os bebês do abrigamento. O cesto cheio de crianças era chamado de "ninhada de leprosos".

Os preventórios, também conhecidos como educandários ou creches, atendiam ao modelo da leprologia — o estudo da lepra — que estabelecia três zonas totalmente separadas umas das outras: doente, sadia para os filhos e neutra para as pessoas em observação, em fase de testes para descobrir se estavam infectadas pela doença, principalmente familiares que haviam tido contato com os recém-internados. Era o tripé do isolamento — colônia, preventório e observatório — devidamente respaldado pelo governo como política de combate à disseminação da lepra.

Foto das crianças que moravam nos preventórios.

Na primeira foto, crianças moradoras do preventório de Santa Isabel; na seguinte, as moradoras do preventório de São Tarciso, na década de 1950.

Na prática, qualquer uma das três instituições deixava uma carga de sofrimento e discriminação. Para a sociedade, os internos deveriam passar o resto da vida no isolamento. Não adiantava explicar, por exemplo, que alguém ficou um período no observatório porque convivia com uma pessoa diagnosticada com a doença, mas fez todos os exames e o resultado foi negativo para o bacilo. Já estava estigmatizado.

Fora as próprias mães que perdiam os filhos ao nascer, quase ninguém questionava o envio dos bebês às creches. Era uma forma eficiente, embora desumana, de prevenir o contágio dos filhos pelos pais. A justificativa era nobre: erradicar de vez a doença maldita. Algumas crianças conseguiam sair do abrigo quando aparecia um parente reivindicando a sua guarda. Outras eram colocadas para adoção, sem o consentimento dos pais internados nas colônias. Irmãos, muitas vezes, eram espalhados sem controle nem registro, o que dificultou muito o reencontro dessas famílias anos depois, quando o isolamento compulsório acabou.

Dos onze anos que viveu no educandário, Iverlândia não consegue se recordar de uma lembrança feliz. Confessa que dava muito trabalho para as cuidadoras e, por isso, vivia no inferno. Toda vez que brigava com uma criança, o que acontecia com frequência, recebia como castigo o sombrio porão. Iverlândia tremia na hora em que o alçapão do assoalho era aberto. Descia as escadas escuras para acessar o subsolo da casa. Lá, permanecia trancada por vinte e quatro horas, com um saco de biscoitos, uma garrafa de água e o medo dos bichos que faziam barulho em seu entorno. Tentava se comportar para não retornar àquele terror, mas não conseguia. Vivia irritada, zangada e não se controlava na hora da briga. Era carente, incompreendida, triste.

As crianças do preventório iam para a escola de kombi. Certo dia, Iverlândia descobriu como tirar o vidro de uma das janelas do furgão. A peça acabou quebrando. Ao chegar ao abrigo, a cuidadora perguntou quem era responsável pelo estrago. Iverlândia confessou. Imediatamente, sua roupa foi arrancada, na frente de todos os coleguinhas. Iverlândia foi acorrentada e surrada com um cipó de goiabeira, algo que nunca mais esqueceria. Ela tinha oito anos. Magrinha, seu corpo ficou todo marcado, inchado, com filetes de sangue. Aos prantos, ouviu a ordem:

— Cale a boca, vá tomar banho e se deitar.

Iverlândia não conseguiu ficar debaixo do chuveiro. A água forte da ducha parecia lhe dar outra surra. Dormir também foi impossível. Ela se deitava todas as noites em um colchão fino estirado no chão. Seu corpo sentia a superfície fria do solo, o que era agradável em noites de calor, mas doloroso quando estava toda lanhada.

Até hoje, Iverlândia se emociona ao relembrar essas histórias. O choro compulsivo, porém, vem ao se lembrar do que aconteceu depois do educandário. Eram os anos 1980. A política de isolamento chegava ao fim. Os preventórios não tinham razão de existir. Porém, o que fazer com as crianças?

O governador na época afirmou que não tinha mais dinheiro para sustentar as creches. Determinou, então, um esforço das instituições para encontrar parentes ou chamar os pais recém-libertos para buscar os filhos.

A mãe de Iverlândia recusou-se a acolher a menina e seus outros filhos, que também haviam sido remetidos ao abrigo. Alegou não ter condições de criá-los. Encontrado, o pai assumiu as crianças.

— Foi uma mudança radical. A gente não teve uma preparação com um psicólogo para começar uma vida em família, nem com um assistente social para nos ajudar. Nossos pais também não sabiam como lidar com a situação. Como eles deveriam nos receber? Como deveriam nos educar? Só podia dar errado.

Pai e filha entraram em conflito de imediato. Iverlândia apanhava quase todos os dias. As surras aconteciam, principalmente, porque a menina rejeitava os pratos estranhos preparados pelo pai. Não conhecia caranguejo, açaí, maxixe — hortaliça da família do pepino.

E não tinha jeito de se acostumar com o gosto daquilo. Um dia, o pai decidiu variar o castigo. Colocou um tijolo na cabeça da filha e a mandou passar o dia inteiro imóvel. Se derrubasse o tijolo, apanharia. O diretor da escola deu por falta da menina e foi até a casa dela em busca de notícias. Deparou-se com a cena do tijolo na cabeça.

— Valdir, tire sua filha desse castigo, ela precisa se mexer.

— Não vou tirar. Ela tem de aprender a comer. O povo do edu-candário educou muito mal esses meninos.

A criatividade para os castigos só foi piorando a situação. Certa manhã, Iverlândia acordou com o colchão molhado. Bravo, o pai disse que não podia aceitar uma menina grande que ainda fazia xixi na cama. Então, botou o lençol sujo na cabeça da garota e a mandou sair correndo e gritando pela rua: "eu mijei, eu mijei". Para garantir que a ordem seria cumprida, seguiu-a de bicicleta até que Iverlândia, exausta, não conseguisse dar mais um passo.

Não havia afeto entre pai e filha. Não havia carinho nem respeito. Para Valdir, Iverlândia era uma criança teimosa. Mas essa visão mudou. Ela cresceu e ganhou corpo. Para o terror da jovem, passou a ser vista como uma mulher. Desejada pelo pai.

Valdir tentou abusar da filha várias vezes. Iverlândia já não dormia à noite com medo das investidas. Certa noite, Valdir levou a jovem ao cemitério, deitou-a em uma catacumba e mandou-a tirar a roupa. Decidiu que não ia estuprá-la. Daria um tempo para que ela cedesse naturalmente. Então começou a se masturbar. Enquanto isso, repetia diversas vezes que não era pai da garota.

A cena se tornou corriqueira. Valdir proibiu a menina de namorar. Ameaçou-a para que não contasse sobre os abusos. Iverlândia vivia chorando. Quando alguém perguntava por qual motivo, calava-se temendo a represália paterna. Até que um dia, um dos irmãos surpre-endeu o pai assediando Iverlândia no quarto da garota e a encorajou a denunciar o que estava acontecendo.

Durante a missa de domingo, a menina tomou coragem e contou tudo para as irmãs religiosas. Elas prometeram tirar a menina imediatamente da casa do pai. No dia seguinte, chegaram com a notícia de que ela voltaria ao antigo educandário. O lugar não havia sido desativado ainda, porque abrigava muitas crianças que não tinham aonde ir. Iverlândia não achou a ideia ruim. Nunca imaginava que gostaria de voltar a um lugar tão cheio de más lembranças, mas ficar com o pai era o pior dos mundos. Enquanto arrumava a bagagem para ir embora, Valdir ameaçou a filha e chegou a lançar-lhe uma faca que, por sorte, não a acertou.

Iverlândia cursou magistério, tornou-se professora e ganhou independência financeira. Mora, ainda hoje, na Colônia do Prata. Está desempregada por causa do preconceito contra os moradores do local, mas não está parada. Trabalha na Comissão dos Filhos Separados, do Morhan.

Artur Custódio, Iverlândia e Edmilson lutam juntos por justiça.

Luta por direitos e por uma indenização do Estado para os filhos separados dos pais. Confessa que ainda tem algo mal resolvido em sua vida.

— Culpo a minha mãe por não ter ficado com os filhos. Se ela tivesse me aceitado, eu não teria sofrido tanto.

Etelvina Ferreira dos Santos é filha de Conceição, aquela mãe do segundo capítulo que passou a vida a procura do filho. Quando a matriarca foi levada à colônia, Etelvina tinha dois anos. Ficou sob os cuidados de parentes. O pai da menina, que era separado da mãe, recebeu a notícia de que a filha sofria maus-tratos. Estava raquítica porque não comia direito. Os tios que haviam abrigado Etelvina não lhe davam atenção receando que fosse também portadora da doença materna. Ao se encontrar com Etelvina, seu pai deparou-se com a magreza da filha. Balbuciando, a menina contou que levava tapas da tia. No mesmo dia, ele a levou para casa.

Carinhoso, o pai esquentava a água para o banho de Etelvina diariamente para que ela não se assustasse com a água gelada do chuveiro nem ficasse doente. Com apenas três meses de convivência, a última chance da criança de ser feliz em família acabou. O pai também foi diagnosticado com lepra. Etelvina não. Nesse caso, qual era o derradeiro destino da menina filha de leprosos? O educandário.

Ao se lembrar da creche, Etelvina recita uma lista longa de maus-tratos enquanto chora:

— Eu passava fome, eles davam comida cheia de bicho, eles batiam, humilhavam a gente, esfregavam os lençóis cheios de xixi na nossa cara, quando não esfregavam outra coisa caso alguém tivesse uma diarreia. Colocavam os meninos pequenos para fazer serviços pesados, fora as coisas que a gente escutava, do tipo "vocês são um bando de incompetentes, leprosos, merecem morrer, não deveriam ter vindo ao mundo".

© Adison Franco

Diferente da mãe, Etelvina não recebeu indenização do Estado, mesmo a reclusão tendo afetado completamente seu futuro.

Seu maior trauma foi ver duas coleguinhas sendo estupradas no preventório. Ao avistar a cena, foi ameaçada de ser violentada também, caso contasse o que vira. Analfabeta, sua maior frustração foi não ter chance de estudar, para poder "ser alguém na vida".

Quando Etelvina tinha catorze anos, espalhou a ideia de que iria se suicidar. Conceição escapou da colônia para retirar a filha do abrigo.

Mas quem disse que a vida seria fácil do lado de fora? Etelvina e Conceição trabalhavam como empregadas domésticas em troca apenas de comida. Foi o que deu para conseguir após o isolamento. Etelvina chegou a receber tapas e puxões de cabelo da patroa, porque era considerada "porca" e não trabalhava direito.

Desempregada, hoje ela faz bicos como empregada doméstica. A mãe recebeu indenização do Estado até a morte. Não falta mais comida. Os momentos de angústia ficaram no passado.

— O que fizeram com a gente foi pior do que no tempo dos escravos negros. Eles também foram maltratados, mas pelo menos viviam perto da família. Nós éramos separados de tudo. Ficávamos isolados da família, da sociedade e da alegria.

Em Marituba, um dos milhares de filhos apartados dos pais reúne os cacos das histórias dos colegas de isolamento. Edmilson Picanço é membro da Comissão Nacional dos Filhos Separados. Luta para que, assim como aconteceu com os pais, os filhos sejam reparados pelos erros cometidos pelo Estado.

Ele teve sorte e não sofreu muitas agressões no abrigo. O que mais o deixava intrigado era o fato de estar sempre com sono. O mesmo acontecia com os amigos. A garotada dormia exageradamente. Mais tarde, descobriu que os cuidadores os dopavam com soporíferos. Era a maneira encontrada pelos trinta funcionários para lidar com mais de 300 crianças. Enquanto uma parte descansava, os cuidadores davam banho e comida para os acordados.

A principal sequela da creche, na opinião de Edmilson, foi a dificuldade que carregou ao longo da vida de se relacionar, de sentir afeto e corresponder. De amar pessoas muito próximas com um amor que ele passou a infância toda sem saber que existia. Confessa que começou a gostar do próprio filho depois que o menino já tinha mais de dez anos de idade.

— Eu não tive o carinho do meu pai, da minha mãe, não fui criado por eles, por isso reneguei meu filho por uma década. Depois, comecei a sentir algo bom, um sentimento de pai mesmo. Então, expliquei a ele o que sofri. Hoje eu amo meu filho e ele me ama.

As consequências na vida dos colegas de Edmilson ainda são devastadoras. Alguns não conseguiram constituir família, outros são alcoólatras ou se perderam no crime. A maioria não completou nem o quarto

Edmilson era dopado diariamente no abrigo. Essa era a forma encontrada pelos funcionários para cuidar de 300 crianças.

ano do ensino fundamental e vive em situação de pobreza. Relatam situações de abuso sexual, agressão e maus-tratos no preventório.

Até quem se livrou do abrigo e foi morar com parentes não escapou da tragédia infantil. Uma ex-interna de Marituba — que não quis se identificar — foi estuprada por três tios na casa em que morava. É uma das tantas narrativas de violência que constam de relatório elaborado pela Comissão Nacional dos Filhos Separados e remetido ao governo federal.

A batalha começou em 2010. Voluntários da comissão se reuniram e prepararam um dossiê. Apresentaram à sociedade as motivações que levavam o Morhan a empreender sua luta. Iniciou-se, então, em todo o país, uma campanha para identificar as vítimas da política de segregação das crianças. Os filhos separados foram chamados a preencher um formulário de identificação e a participar das mobilizações. A intenção era sensibilizar autoridades e políticos para a necessidade de reparação

Vítimas da política de segregação das crianças foram chamadas a preencher um formulário de identificação e a participar das mobilizações.

dos danos sofridos por quem foi apartado da família e forçado a viver o tormento das creches destinadas às "ninhadas dos leprosos".

Foram promovidas reuniões com os filhos separados, principalmente nas ex-colônias, único lugar em que muitos encontraram abrigo. Surgiu, então, uma abertura para expor as reivindicações em audiências públicas nas câmaras de vereadores, assembleias legislativas e até nos ministérios e no Congresso Nacional.

Em 2012, a então ministra da Secretaria de Direitos Humanos da Presidência da República, Maria do Rosário, chamou a comissão para conversar. Pediu um relatório pormenorizado sobre os anseios do grupo e as histórias das vítimas, exatamente o documento que Edmilson ajudou a elaborar, escrito a várias mãos e muitas lágrimas.

No ano seguinte, novo convite. A Comissão dos Filhos Separados iria novamente a Brasília. Em cerimônia no Palácio do Planalto, o então ministro da Secretaria-Geral da Presidência da República, Gilberto Carvalho, anunciou que a presidente Dilma Rousseff assinaria ato normativo autorizando o pagamento de indenização.

Carvalho explicou que a comissão interministerial, mais representantes dos voluntários, seria responsável por analisar o formato da norma, ou seja, se seria lei, decreto ou medida provisória, além de discutir valores e formas de pagamento. Na época, o ministro calculou que, pelo menos, 15 mil pessoas poderiam receber a indenização. Contudo, para a comissão, esse número era bem maior: 40 mil.

— Os filhos também foram vítimas por terem sido retirados dos pais violentamente e colocados em orfanatos anexos às colônias. Para as famílias, muitos deles eram considerados como mortos, dados em adoção sem que os parentes soubessem, e se perdiam por esse mundo afora, com muitas sequelas físicas e psicológicas. O que estamos fazendo é nada mais, nada menos do que reconhecer uma dívida do Estado — discursou Carvalho.

Porém, a questão das indenizações não avançou. O movimento aguarda uma posição governamental, mas não espera sentado. As mobilizações continuam e, com frequência, o assunto entra nas discussões do Congresso. Em 2013, foi instalada, na Câmara dos Deputados, a Frente Parlamentar de Erradicação da Hanseníase e Doenças Elimináveis, com bandeiras como o combate ao preconceito, o avanço nas pesquisas e o alerta à sociedade para essas doenças. Uma das primeiras reivindicações da frente foi justamente o pagamento da indenização.

Além disso, pelo menos seis projetos de lei com o mesmo objetivo estão em análise pelos deputados. Solicitam modificação na Lei nº 11.520, a que determina a pensão de R$ 750 aos ex-internos. A proposta acrescenta ao texto a extensão do pagamento aos filhos separados.

Até a Ordem dos Advogados do Brasil (OAB) entrou na mobilização. O parecer da OAB sustenta que, para o cumprimento integral da lei, é imprescindível que o Estado indenize cada família ou pessoa que sofreu com o isolamento compulsório, sobretudo os filhos separados dos pais. Observa-se que, a partir do momento em que o Estado optou por separar as famílias para evitar a propagação da hanseníase — concepção equivocada do ponto de vista médico e científico — torna-se devedor dos prejudicados por sua decisão. Com essa argumentação, a OAB pede providências para que os filhos recebam logo as indenizações. Mas não basta a compensação financeira. O SUS deve oferecer cirurgias reparadoras aos ex-internos, resgatando-lhes a autoestima.

A indenização tarda, a resposta tarda, a justiça tarda, mas os filhos separados estão convictos de que não falharão. No *site* do Morhan e nas redes associadas, percebe-se certa impaciência e revolta pela demora. O momento político é complicado para fazer avançar os projetos sociais. Escândalos de desvios de verbas públicas atrapalham a liberação de recursos. A situação econômica puxou o freio de mão para qualquer tipo de gasto, mesmo que seja justo e apoiado pelos mais diversos setores políticos e da sociedade. Contudo, é difícil acreditar que a reparação não vai chegar. Seja por meio do Congresso Nacional, seja via governo, com apoio popular, com ajuda da OAB, os filhos separados prometem reescrever o ditado que diz que quem atira para todos os lados acaba perdendo o alvo. São tantos anos de esforços e tantos pedidos de socorro, que não tem como errar esse alvo.

Os filhos separados sofreram mais danos que os pais internados em colônias. É a conclusão da pesquisa acadêmica "Órfãos por imposição do Estado. Danos psicossociais causados pela política de segregação da hanseníase". Um dos pesquisadores é Thiago Flores, o filho da família Flores da Colônia Santa Isabel.

Além dos danos corriqueiros sofridos pelos ex-internos — depressão, angústia, falta de oportunidade de trabalho e preconceito —, os filhos apresentam traumas por causa de abusos sexuais, cicatrizes devido às agressões físicas, dependência de medicamentos e alguns carregam problemas psicológicos, advindos da combinação de todos esses fatores.

De acordo com a pesquisa, "as marcas do passado estão hoje presentes na alma desses filhos". O que eles são atualmente é fruto do que viveram na infância. A maioria tem baixo índice de escolaridade: 74,7% têm ensino fundamental incompleto, apenas 14,8% concluíram o ensino médio e 7,4% são analfabetos.

O medo de enfrentar o mundo do lado de fora e ser identificado como leproso, filho de doente, filho de "dedim", "morfético", entre outros apelidos, fez com que a maioria não saísse do entorno das colônias. É o caso de 90% dos entrevistados. Desses, 70,3% disseram ter casa própria. O detalhe é que muitos não possuem a titularidade do imóvel, que pertence ao Estado.

Ao falar do passado, os entrevistados demonstram que as feridas emocionais não cicatrizaram. No momento de narrar as passagens mais dolorosas, são tomados por emoção incontida. A maioria chora ou manifesta raiva. Foi necessário interromper algumas entrevistas e, até mesmo, mudar de assunto para que o entrevistado retomasse a conversa.

Eles ainda relataram um sentimento de incapacidade para o trabalho e para construir relações sólidas. Esquivam-se dos contatos pessoais. Alguns negam a própria origem. Outros não conseguem viver sem tratamentos psicológico-psiquiátricos. Descrevem-se como nervosos, estourados, com dificuldade de autorrealização e de reconhecimento de direitos.

Um dos pontos que mais chamou a atenção dos pesquisadores foi a revolta dos filhos em relação aos pais. Eram criados nos preventórios para terem horror da família. Para piorar a situação, na ausência de uma política de reinserção familiar após deixarem as creches, alguns tentaram se reaproximar dos pais e não foram bem aceitos. Sentiram-se, então, sozinhos no mundo e completamente indignados. A partir desse fato, Thiago Flores defende que o quadro expressa a maior alienação parental já praticada pelo Estado. Este foi conivente e financiou as instituições que alienaram as crianças, incentivaram o sentimento de repúdio à família e, ainda por cima, as maltrataram. No Brasil, a alienação parental é passível de punição.

Outro erro foi manter pais e filhos separados até 1986, embora, em 1952, o Brasil tivesse assinado tratado internacional contra a política de isolar os filhos de ex-portadores de hanseníase. Além disso, em 1976, editou portaria que determinava o fim do isolamento.

As conclusões da pesquisa só confirmaram e deram embasamento científico ao que Thiago já sabia.

— Os filhos separados, assim como seus pais, foram vítimas do holocausto silencioso instituído no país ao longo de décadas, que excluiu da sociedade milhares de pessoas e deixou sequelas mais profundas nas famílias do que a dor da própria doença — acusa.

A Colônia do Prata, no Pará, criada em 1923, foi a primeira colônia agrícola para leprosos no Brasil.

XXIII

Na luta para escapar de outras prisões

A primeira colônia agrícola para leprosos no Brasil surgiu em 1923. Situava-se em região de grande foco da doença: o Pará. A Colônia do Prata foi erguida em lugar afastado de Belém, o município de Igarapé-Açu, distante 150 quilômetros da capital.

O termo é de origem tupi, formado pela junção de três palavras: *ygara*, que significa canoa; *apé*, que é caminho; e *guaçu*, que quer dizer grande. Por fim, Igarapé-Açu é o mesmo que "grande caminho de canoas". Nome acertado, já que a região é cortada pelos rios Maracanã e Jambu-Açu.

Antes da fundação da colônia, Igarapé-Açu era terra dos índios. No século XVIII, a Igreja Católica chegou para catequizar os nativos. Na virada do século XIX para o XX, o Estado assumiu a administração do lugar, transformando-o em presídio e, em seguida, em um leprosário. Não foram muitas adaptações. Continuava a ser mesmo uma espécie de prisão.

Chamavam a atenção os prédios suntuosos que abrigariam os doentes, no meio do mato. As antigas edificações eram grandiosas, com pé-direito alto e paredes com quase um metro de espessura, forma de evitar a fuga dos bandidos que ali moraram. Traziam a beleza da arquitetura influenciada pelo estilo da *Belle Époque* francesa, traços eternizados nos edifícios históricos que ainda compõem a paisagem das capitais amazônicas Belém e Manaus.

© Alexandre Souza

Equipe do *Caminhos da Reportagem* na Colônia do Prata.

© Artur Custódio

Antigo pavilhão onde viviam os internos da Colônia do Prata hoje está em ruínas.

As edificações, que se transformaram em pavilhões para os internos morarem, chegaram a abrigar mais de 1.500 pacientes. Hoje, estão abandonadas. Prédios enormes, destruídos pela ação do tempo, com pintura velha e desgastada, servem como moradia de animais.

© Arquivo Cristiano Torres

Mesmo tendo sido tombada como patrimônio histórico nacional, a Colônia do Prata ficou abandonada; hoje abriga animais e atividades ilícitas.

Não deveria ser assim. O leprosário foi tombado como patrimônio histórico nacional. Depois que o leprosário foi desativado, os antigos pavilhões ainda serviram para o funcionamento de uma escola municipal. Por pouco tempo. A falta de conservação impediu que qualquer atividade fosse desenvolvida naquele ambiente, com exceção das ações ilegais. Há denúncias de tráfico de drogas no local.

Quatro mil pessoas moram nos arredores. Vivem cercadas pela insegurança das construções abandonadas e pela insegurança de não morar naquilo que é seu. As casas da colônia nunca foram regularizadas. Ninguém tem título de propriedade.

A Colônia do Prata é um exemplo de tudo aquilo que um antigo leprosário não deveria se tornar e da luta que os ex-internos ainda têm pela frente. Não é um exemplo isolado.

Deveria ser bem diferente. No mundo inteiro os leprosários são protegidos por uma resolução da Organização das Nações Unidas. A ONU recomenda a preservação histórica dos locais e o cuidado com os idosos que foram isolados compulsoriamente.

No Brasil, boa parte das trinta e três colônias remanescentes enfrenta a degradação dos prédios, a ausência de assistência aos antigos moradores — em grande parte idosos que não têm para onde ir — e falta de equipamentos e medicamentos nos hospitais.

Há mais de uma década os ex-internos e seus familiares pedem ao Poder Público providências quanto ao abandono das ex-colônias. Em 2005, durante o 1º Seminário Nacional de Antigos Hospitais-Colônias, os participantes defenderam a preservação da memória dos hospitais-colônias, da moradia e da saúde dos ex-internos e do meio ambiente que compõe as unidades.

A partir das primeiras discussões, um documento apontou as necessidades. Encaminhado à União, um grupo de trabalho do Ministério da Saúde ficou responsável por visitar as colônias e produzir um diagnóstico da situação dos tratamentos e das casas.

O grupo visitou as colônias e elaborou relatórios, mas a política pública voltada para as colônias não avançou. A expectativa dos ex-internos é que sejam adotadas, pelo menos, as medidas que garantam o tratamento de reabilitação para todos os que têm as sequelas da doença. Sugerem que tal política seja semelhante ao que aconteceu com as comunidades quilombolas. Por lei, os habitantes dessas terras podem pleitear ao Estado brasileiro o reconhecimento oficial como comunidade quilombola, o título de propriedade da terra e o acesso a projetos de sustentabilidade, preservação e valorização de seus patrimônios histórico-culturais.

Por enquanto, três colônias conseguiram resolver a questão fundiária: as duas do Rio de Janeiro e uma do Acre, a colônia Ernani Agrícola, no município de Cruzeiro do Sul. A da capital, Rio Branco, passa por estudo para ser regularizada também.

As 200 famílias que moram há mais de trinta anos nos arredores da Ernani Agrícola receberam o título definitivo da propriedade em 2012. O local, hoje bairro Telégrafo, possui área de 36,7 mil metros quadrados. O antigo hospital da colônia hoje é o Hospital Dermatológico que, além dos ex-internos, atende à população de Cruzeiro do Sul.

Fundada em 1929, a Colônia Curupaiti, em Jacarepaguá, zona oeste do Rio, já foi o maior leprosário do Brasil. Em 2010, as moradias das cinco vilas que a formavam foram cedidas pelo governo do estado aos ex-pacientes e familiares. Ao todo são 300 casas e cerca de 2 mil moradores distribuídos por 77 mil metros quadrados.

A Curupaiti mantém as características do tempo de lazareto: um vilarejo bucólico, a igreja ao centro, campo de futebol, cineteatro, pracinhas, salão de baile e o centro de atendimento médico, hoje o Instituto Estadual de Dermatologia Sanitária. Sete pavilhões

Hospital da Colônia do Prata.

ainda servem de moradia para os pacientes idosos e solitários que precisam de ajuda.

Última a conseguir a regularização fundiária, a Tavares de Macedo foi a segunda colônia do Rio. Fica em Itaboraí, região metropolitana carioca. Em 2014, 800 famílias que moravam ali de forma irregular tornaram-se, oficialmente, proprietárias dos imóveis.

Na condição de proprietários, novas obrigações surgiram para os moradores: pagar água, luz e IPTU, por exemplo. Antes, o hospital da colônia subsidiava os gastos. Mas ninguém reclamou quando apareceram os boletos. É o preço da cidadania, a única forma de se ter uma casa própria, já que a maioria não entrou no mercado de trabalho, não conseguiu acumular poupança, nem construir um patrimônio.

A regularização deve ser acompanhada de um pacote de benefícios para a população, como rede de esgoto, pavimentação, rede elétrica, áreas de lazer. Além disso, ter um endereço definitivo significa acesso a outros bens e serviços. As ruas das colônias ganham nomes reconhecidos e CEP. As encomendas e cartas são entregues na porta. Na Tavares de Macedo, por exemplo, quem comprava um móvel ou eletrodoméstico — que precisava ser entregue por caminhão — dava para a loja o endereço do hospital e lá ficava na porta esperando a mercadoria.

Enquanto em alguns lugares a questão da moradia avança, em outros há retrocessos. A Colônia Santa Marta, em Senador Canedo (GO), está perdendo sua configuração pela ação do tempo e dos próprios gestores da instituição. A maioria dos pavilhões foi demolida pela organização social contratada pelo Estado para administrar o lugar. Nas edificações históricas moravam vinte e cinco idosos, realocados para um único prédio.

Nos arredores, 370 ex-internos sofrem com a possibilidade de perderem as casas onde vivem. Estão ameaçados por um projeto de construção de um condomínio no terreno. Seu destino será um conjunto habitacional mais distante.

O Morhan denunciou o fato à ONU. Na sua argumentação, o que está sendo proposto é uma segunda expulsão. Os ex-internos já foram segregados e, agora, serão novamente expulsos para um conjunto habitacional afastado.

A especulação imobiliária chegou também à Colônia de Itanhenga, no Espírito Santo. Lá, os moradores estavam animados com a perspectiva de ganharem as casas onde vivem. Entretanto, a realidade foi bem diferente. Eles poderiam sim permanecer nas residências, desde que pagassem por elas, ou seja, foram obrigados a comprá-las para continuar onde estão. O problema é que essas pessoas não têm condições de pagar o valor exigido. O impasse deve ser resolvido na justiça.

A questão trabalhista é outro tema mal resolvido na vida de muitos ex-internos. A maioria dedicou-se durante anos a um ofício sem acesso aos direitos básicos dos trabalhadores. Muitas vezes, sem nem sequer receber remuneração.

Os melhores acordos firmados com os antigos internos foram aqueles em que o Estado os incorporou ao quadro de servidores públicos com todas as garantias, inclusive a aposentadoria, que leva em consideração o tempo de serviço prestado nos leprosários.

Nem todos tiveram a mesma sorte. Em Minas Gerais, por exemplo, há situações em que o trabalhador não obtém a aposentadoria devido à exclusão do cálculo — na hora de somar o tempo de serviço — dos anos trabalhados no leprosário. Há também o problema de não terem contribuído para a previdência social durante o isolamento compulsório. Casos semelhantes se repetem por todo o país. As ações trabalhistas se acumulam na justiça.

Os ex-internos também se mobilizam. Exigem indenizações pelo desrespeito aos direitos trabalhistas nas colônias. No Rio, a mobilização teve um efeito positivo. Em 2012, o governo estadual decretou o pagamento de indenização mensal aos que trabalharam sem reconhecimento profissional nos hospitais-colônias. O valor da reparação é de R$ 622,00.

Os beneficiários trabalharam sem receber remuneração fixa nos hospitais de Curupaiti e Tavares de Macedo. Aqueles que ainda prestam serviço nas duas unidades foram contratados com carteira assinada e vão receber a indenização por dez anos. Já os que estão fora do mercado por causa de incapacidade física têm direito à indenização por toda a vida.

Agora, outras colônias também se mobilizam para conquistar o mesmo benefício.

Durante as segregações muitos ficaram sem saber sobre seus parentescos. Mesmo quando informações os levavam até parentes, ainda havia dúvidas. Qualquer pessoa que precise comprovar o vínculo biológico e não tenha documentação oficial, ou registro com o nome da família atingida pela hanseníase, pode solicitar o teste de DNA, que é gratuito. Nestas reuniões os resultados são declarados para todos os presentes.

XXIV

A hora de reatar os laços rompidos

Como todas as manhãs, Aída levantou cedo, preparou o café da manhã, deu um beijo no marido e foi levar a filha à creche. Naquele dia, ela não iria trabalhar. Quando estava saindo da escolinha, foi surpreendida ao avistar o automóvel do marido se aproximando.

— Hoje eu estou com o carro disponível para você.

Aída ficou toda animada. Pensou que os dois sairiam a passear por Belém como dois apaixonados.

— Aonde vamos, amor?

— Procurar sua família.

— Você está falando sério?

— Estou. Entra logo no carro que a viagem é longa. Vamos demorar mais de duas horas até Igarapé-Açu.

Aída começou a suar frio. Aos trinta e três anos de idade, nunca procurara a família biológica, sem saber por qual motivo. A mãe adotiva sempre contou tudo às claras e não via problema na hipótese da filha sair em busca da família no antigo leprosário. Contudo, Aída ficava com o pé atrás. Tinha, talvez, receio de se dedicar a uma procura sem sucesso. O destino do casal era o município que constava na certidão de nascimento de Aída. O documento havia sido extraviado na mudança para a casa nova. Então, ela pensou que, se tudo desse errado, pelo menos a segunda via da certidão ela conseguiria no cartório da cidade. Foi justamente esta a primeira parada em Igarapé-Açu.

Aída explicou ao tabelião que nascera na Colônia do Prata, que não tinha pista da família e que precisava da segunda via da certidão. Em seguida, apresentou o único documento que lhe restava, a carteira de identidade. Ao ver o sobrenome de Aída, ele abriu um sorriso vibrante.

— Eu conheço sua irmã, a Renata. Ela mora perto da minha casa. Vou levar você lá, agora.

Atônita, Aída começou a tremer. No caminho, ficou imaginando como seria a casa da irmã. Imaginou lar bonito, todo arrumadinho e caprichado. Não deu tempo de pensar muito. Em poucos minutos, estava na porta de uma casa simples.

Renata não estava em casa. Aída foi recebida pelos sobrinhos. Na sala, estava o pai, quietinho num canto. Muito idoso, mal conseguia falar. A filha abraçou e beijou o velhinho. O mesmo fez com os sobrinhos. Decidiu voltar ao cartório para obter a certidão e retornar mais tarde para tentar encontrar a irmã.

Quando chegou em casa, Renata encontrou os filhos eufóricos.

— Mãe, uma irmã sua veio aqui.

— Quem? A Armandina?

— Não mãe, ela parece demais com a tia Armandina, mas não é. Ela falou que é uma tal de Ida.

— Meu Deus, é a Aída!

Renata foi a filha que mais teve contato com a mãe, até a morte da matriarca. Gostava de deitar no colo materno e ouvir as histórias sobre a irmã que não conhecia. A mãe contava que Aída foi arrancada dela logo após o parto e levada ao educandário. Depois de sair da colônia, ainda soube notícias da filha, mas não o paradeiro da menina. Descobriu que Aída contraíra paralisia infantil na creche, antes de completar um ano de idade. Mesmo assim, conseguiu ser adotada por uma família muito afetuosa, segundo lhe disseram os cuidadores. Aída era muito pequena, não acompanhava o tamanho médio das outras crianças com a mesma idade. Teve problemas de desenvolvimento motor. Só começou a falar depois dos três anos. Os pais adotivos lutaram para conseguir os melhores tratamentos para a criança e compraram uma órtese cara para que se locomovesse com a perna atrofiada. A alegria da mãe biológica era saber que a filha fora registrada com o nome que ela própria escolhera e com sobrenomes idênticos aos dos irmãos: Aída Nunes Monteiro. Era a esperança de encontrá-la novamente, o que não aconteceu.

A ansiedade tomou conta da casa. Renata ficou de olho na janela até avistar um carro desconhecido parando em sua porta. Aída desceu do automóvel. Andava com a ajuda de muletas. A irmã não teve dúvida de quem se tratava, era a cópia da Armandina. As duas se abraçaram e se olharam como se não estivessem acreditando no que estava acontecendo. Foi impossível segurar o choro.

Contudo, o primeiro encontro teve de ser rápido, porque Aída tinha de voltar a Belém para buscar a filha na creche. Logo marcaram de se ver novamente. As visitas se tornaram frequentes. A duas não se desgrudam mais. Sempre conversam por telefone e pelas redes sociais. Aída quer notícias diárias do pai, dos sobrinhos e o carinho da voz de Renata.

O mesmo contato próximo Aída agora tem com as demais irmãs. No dia em que conheceu Renata, telefonou para Armandina e Mara. Os encontros também foram emocionantes. Por fim, conheceu Marli, em uma ocasião especial. Era a festa do Círio de Nazaré, uma das maiores manifestações religiosas do mundo em que a imagem de

Nossa Senhora de Nazaré percorre as ruas de Belém, guiada por uma longa eorda, rodeada por mais de dois milhões de fiéis. Marli viajou até a capital especialmente para conhecer Aída e participar com ela do Círio. As irmãs marcaram um encontro na BR-010, na entrada da cidade. Uma falou para a outra como estaria vestida, para facilitar o encontro. Quando Marli chegou ao lugar combinado, assustou-se com a multidão que vinha para a grande festa. Teve medo de não achar a irmã. Ao avistar uma imagem de Nossa Senhora de Nazaré, pediu à santa que intercedesse pelo encontro e pela amizade entre as duas. Prontamente, a súplica foi atendida. Foi "amor à primeira vista", como as duas costumam falar. A visita, que era para ser rápida, se prolongou. Marli passou quase uma semana na casa da irmã redescoberta. Rapidamente, caminhos que percorriam rotas tão diferentes se entrelaçaram com perfeição, como a corda do Círio de Nazaré.

© Fotos Alexandre Souza

Ao lado, Marli, Aída e Renata ficaram felizes ao se reencontrarem. A mãe, já falecida, contava as histórias da irmã desaparecida. Na outra acima, a família reunida fala sobre o reencontro. O pai observa a filha que estava sumida.

✲

De um lado, Sandra Gonçalves. Cabelos compridos, negros, bem lisos, corpo esguio, rosto fino, nariz delicado. Usa óculos de grau, vestido e relógio pequeno. Conversa pouco, confessa que não gosta de expressar muito suas ideias e sentimentos. É independente. Resolve todos os problemas da família na rua e trabalha como servente.

Do outro, Carmem Regina de Souza. Cabelos curtos, mais claros, alisados, mas visivelmente enrolados ao se observar a raiz. Estrutura corporal mais larga, um pouco mais baixa, rosto e nariz arredondados. Gosta de vestir camisetas e usar relógios grandes. Loquaz, expressa os sentimentos com mais facilidade. Prefere a casa à rua. Não trabalha fora, gosta de ser dona de casa.

O que elas têm em comum? Aparentemente nada. Entretanto, podem ser irmãs. Foram separadas da mãe meio século atrás na Colônia de Marituba. Carmem foi levada ao preventório e Sandra, para a adoção.

Mesmo sendo adotada, Sandra conseguiu manter contato com a família biológica. Esteve ao lado da mãe até o dia que ela faleceu. Carmem apareceu depois de adulta à procura dos parentes. A família logo a identificou como irmã da Sandra. Porém, as duas não se convenceram.

Com sobrenomes diferentes, sem semelhanças físicas nem compatibilidade de gênios, tentaram se aproximar. Não funcionou. Carmem passou a frequentar a casa da Sandra, mas, como diz a família, elas são "dois bicudos" e logo se desentenderam. As brigas eram tão frequentes que a Carmem foi espaçando as visitas. Elas admitem que não se esforçam para cultivar sentimentos uma pela outra.

— Eu sou diferente, mais fechada, mais calada, então não fico expressando o que sinto assim, com facilidade. Não falo nada para você, Carmem. Se eu sofro, eu sofro calada. Se eu amo uma pessoa, amo calada. Não tem jeito para eu ficar falando essas coisas. Por eu ser fechada, você também não se sente à vontade para demonstrar alguma coisa. A verdade é que no fundo, no fundo, eu acho que não existe aquele amor entre a gente.

— Não existe não, Sandra. Eu não acho, eu tenho certeza. Tenho facilidade em dizer "eu te amo" para as pessoas próximas a mim, mas para você eu nunca falei. A gente se desentende muito, por besteira, motivos fúteis. Estamos nos afastando cada vez mais. Somos muito diferentes.

— É porque a gente não foi criada junto, então não se formou aquele vínculo de família, aquele amor.

Mesmo sem "aquele amor", Carmem saiu do lugar que não gosta de deixar, o conforto do lar, e seguiu para a ruazinha de terra, que nunca viu asfalto, com poças de água da última chuva, algumas partes de lama, com fileiras de casas simples, pequenas, e restos de material de construção. Seu destino era a casa de Sandra, em Marituba. De lá, iriam à reunião que mudaria a história das duas. Ao se encontrarem, não pararam de conversar. Estavam visivelmente ansiosas. Sobre a mesa da sala, Sandra espalhou as fotos da família para mostrar à possível irmã. Mas Carmem mostrava-se cética.

— Eu não tenho nada a ver com a Sandra. Ela se parece mesmo com o resto da família, principalmente com a mãe. São os mesmos traços, traços marcantes no rosto. Nas fotos em que ela está com o cabelo amarrado igual ao da mãe as duas ficam idênticas. Eu não tenho nenhum traço semelhante, nem um pouquinho.

— É verdade. Dizem que família sempre tem algum traço, não é? A Carmem não tem. Talvez meus parentes estejam enganados.

© Alexandre Souza

Carmem e Sandra acharam desde o início estranho não terem os mesmos traços físicos. A incerteza de serem mesmo irmãs sanguíneas impede de trocarem afeição.

A reunião da Comissão dos Filhos Separados em Marituba não seria um encontro como outro qualquer. Era dia de revelar mais um teste de DNA, o das presumidas irmãs Carmem e Sandra. As duas chegaram caladas, após percorrerem o caminho até o local, uma ao lado da outra, sem falar uma palavra.

Qualquer pessoa que precise comprovar o vínculo biológico e não tenha documentação oficial, ou registro com o nome da família atingida pela hanseníase, pode solicitar o teste, que é gratuito. Simples, necessita apenas coletar saliva. Quem mais procura o exame são os filhos de ex-internos — que foram adotados mas não têm os papéis da adoção — e os que foram registrados como filhos naturais pelos pais adotivos e querem comprovar a paternidade biológica.

Por onde anda a equipe, altera a configuração familiar do lugar. A maioria do público que se submete ao exame não teria condições de arcar com o custo do procedimento. São filhos, pais, irmãos que conservaram anos a fio a dúvida sobre o parentesco. A verificação também serve aos filhos separados que reivindicam indenizações do Estado. Quando vencerem a batalha judicial, a primeira coisa que o governo lhes exigirá será que comprovem que são mesmo filhos dos ex-internos.

Centenas de exames foram feitos em todo o país e os pedidos não param de chegar. Com a procura crescente, o Instituto Nacional de Genética Médica Populacional, o INaGeMP, percebeu que precisava atender, também, aqueles requerentes sem qualquer pista do paradeiro da família, mas que recorrem ao instituto em busca de ajuda. Criou-se, então, o banco genético da hanseníase. Quando alguém que foi separado da família e isolado em uma colônia solicita a prova, mesmo sem contar com outra pessoa com quem possa comparar o resultado, o material genético é guardado no banco para futuras comparações. Os funcionários da instituição preenchem um questionário com o máximo de informações do solicitante e, com a ajuda do Morhan, se lançam à tarefa de investigação para encontrar as famílias.

O pequeno galpão que sedia o encontro dos filhos separados está lotado. Em torno de cinquenta pessoas aguardam informações sobre a tramitação dos requerimentos visando reparar a tragédia infantil que viveram. Sandra e Carmem estão ali por outro motivo. Chegaram cedo e se sentaram na primeira fileira.

Edmilson Picanço, integrante da comissão, explica que o governo continua com dificuldades na questão das indenizações. Pede paciência e perseverança à plateia. Mostra campanhas publicitárias do Morhan e responde a algumas dúvidas. Nisso, as unhas e a calma de Sandra e Carmem vão indo embora.

Esgotada a pauta da comissão, Flávia Biondi, pesquisadora do instituto, esclarece o que é o teste de DNA e como a genética se manifesta nos traços de similaridade entre pessoas da mesma família. Carmem e Sandra se entreolham. Flávia estimula quem tenha dúvida sobre o parentesco a fazer o exame. Nessa hora, Carmem se levanta e vai beber água. Volta correndo quando Edmilson pega o microfone:

— Agora, o INaGeMP vai entregar o resultado do exame da Sandra e da Carmem. Vocês vão descobrir oficialmente se são irmãs ou não.

Sandra respira fundo. As duas se levantam. Com um envelope na mão, Flávia faz o anúncio:

— A probabilidade de vocês serem irmãs, antes desse resultado, era de 50%, mas aqui diz que, com 99,9% de certeza, vocês são irmãs sim!

A plateia se levanta em aplausos. Sandra e Carmem se abraçam, meio sem graça, aparentemente sem emoção. Ninguém entende aquela reação depois de tantas demonstrações de ansiedade. A reunião se encerra. Alguns se aproximam para parabenizá-las. Em menos de cinco minutos, o galpão está vazio. Só as irmãs ao centro e a equipe de filmagem em um canto. Sozinhas, elas se olham com olhos cheios de lágrimas. Um abraço de verdade surge quase que naturalmente. Algumas palavras se soltam no pé do ouvido. Elas se dão as mãos e saem sorrindo.

Finalmente, o sentimento entre as irmãs dá sinais de sobrevivência. Venceram a última batalha contra os resquícios das chagas que nunca tiveram.

A hanseníase e a política de isolamento compulsório conseguiram destruir muita coisa: os vínculos familiares, a liberdade e os sonhos.

Não destruíram, contudo, a esperança e a vontade de construir uma vida normal. Muitas cicatrizes vão ficar gravadas na história dessas pessoas. Não há como apagá-las. Porém, os problemas não superam o desejo de viver dias melhores.

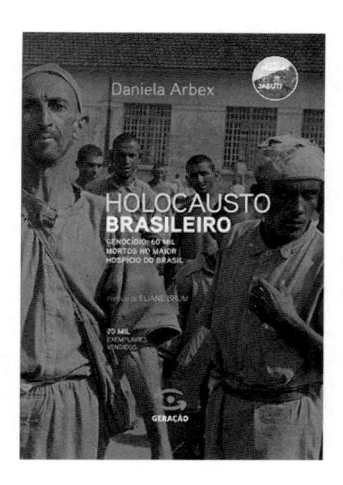

Leia também

Holocausto Brasileiro

O best-seller *Holocausto brasileiro* foi eleito Melhor Livro-Reportagem do Ano pela Associação Paulista de Críticos de Arte (2013) e segundo melhor Livro-Reportagem no prêmio Jabuti (2014)

Durante décadas, milhares de pacientes foram internados à força, sem diagnóstico de doença mental, num enorme hospício na cidade de Barbacena, em Minas Gerais. Ali foram torturados, violentados e mortos sem que ninguém se importasse com seu destino. Eram apenas epilépticos, alcoólatras, homossexuais, prostitutas, meninas grávidas pelos patrões, mulheres confinadas pelos maridos, moças que haviam perdido a virgindade antes do casamento. Ninguém ouvia seus gritos. Jornalistas famosos, nos anos 1960 e 1970, fizeram reportagens denunciando os maus-tratos. Nenhum deles — como faz agora Daniela Arbex — conseguiu co tar a história completa. O que se praticou no Hospício de Barbacena foi um genocídio, com 60 mil mortes. Um holocausto praticado pelo Estado, com a conivência de médicos, funcionários e da população.

INFORMAÇÕES SOBRE A
GERAÇÃO EDITORIAL

Para saber mais sobre os títulos e autores
da **GERAÇÃO EDITORIAL**,
visite o *site* www.geracaoeditorial.com.br
e curta as nossas redes sociais.

Além de informações sobre os próximos lançamentos,
você terá acesso a conteúdos exclusivos
e poderá participar de promoções e sorteios.

geracaoeditorial.com.br

/geracaoeditorial

@geracaobooks

@geracaoeditorial

Se quiser receber informações por *e-mail*,
basta se cadastrar diretamente no nosso *site*
ou enviar uma mensagem para
imprensa@geracaoeditorial.com.br

GERAÇÃO EDITORIAL
Rua João Pereira, 81 – Lapa
CEP: 05074-070 – São Paulo – SP
Telefax: (+ 55 11) 3256-4444
E-mail: geracaoeditorial@geracaoeditorial.com.br